D1082285

ÉDITRICE: Caty Bérubé

DIRECTRICE GÉNÉRALE: Julie Doddridge

CHEF D'ÉQUIPE PRODUCTION ÉDITORIALE: Crystel Jobin-Gagnon

CHEF D'ÉQUIPE PRODUCTION GRAPHIQUE: Marie-Christine Langlois

CHEFS CUISINIERS: Benoit Boudreau et Richard Houde

RECHERCHISTE CULINAIRE: Gabrielle Germain (par intérim)

AUTEURS: Caty Bérubé, Benoit Boudreau et Richard Houde.

RÉDACTRICES: Miléna Babin, Fernanda Machado Gonçalves, Marie-Pier Marceau et Raphaële St-Laurent Pelletier.

RÉVISEURES: Marilou Cloutier et Corinne Dallain.

ASSISTANTES À LA PRODUCTION: Edmonde Barry et Nancy Morel.

CONCEPTRICES GRAPHIQUES: Sonia Barbeau, Sheila Basque, Annie Gauthier, Karyne Ouellet et Josée Poulin.

SPÉCIALISTE EN TRAITEMENT D'IMAGES ET CALIBRATION PHOTO: Yves Vaillancourt

PHOTOGRAPHES: Mélanie Blais, Rémy Germain et Marie-Ève Lévesque.

PHOTOGRAPHE ET VIDÉASTE: Tony Davidson

STYLISTES CULINAIRES: Laurie Collin, Carly Harvey et Christine Morin.

COLLABORATEURS: Sabrina Belzil, Louise Bouchard, Ève Godin, Francis Gauthier, Martin Houde et Jessie Marcoux.

DIRECTEUR DE LA DISTRIBUTION: Marcel Bernatchez

DISTRIBUTION: Éditions Pratico-Pratiques et Messageries ADP.

IMPRESSION: TC Interglobe

DÉPÔT LÉGAL: 1er trimestre 2018
Bibliothèque et Archives nationales du Québec
Bibliothèque et Archives Canada
ISBN 978-2-89658-810-7

Gouvernement du Québec - Programme de crédit d'impôt pour l'édition de livres - Gestion SODEC

1685, boulevard Talbot, Québec (QC) G2N 0C6
Tél.: 418 877-0259
Sans frais: 1 866 882-0091
Téléc.: 418 780-1716
www.pratico-pratiques.com

Commentaires et suggestions: info@pratico-pratiques.com

Soupers VÉGÉ en 5 ingrédients 15 minutes

Soupers VÉGÉ en 5 ingrédients 15 minutes

135 repas

PROTÉINÉS ET TELLEMENT SAVOUREUX

Table des matières

Manger végé, ça peut être *si simple et si bon!*

Pour bien des gens, manger végé représente un changement de vie majeur. On n'a qu'à penser à la génération de nos parents, pour qui un repas sans viande n'était pas complet… Pourtant, il y a tellement d'autres sources de protéines soutenantes, bonnes pour la santé et remplies de saveurs!

C'est pour rendre accessible la cuisine végétarienne que nous avons décidé de concevoir ce livre 100% végé. Présentées dans la formule 5 ingrédients - 15 minutes que vous appréciez tant, les recettes de ce recueil sauront assurément combler votre appétit et votre curiosité culinaire, et ce, sans que vous ayez à passer des heures devant les fourneaux!

Le choix de l'alimentation végétarienne peut s'expliquer par plusieurs facteurs. Mais que ces derniers soient financiers, médicaux ou liés au désir de perdre du poids, rien ne justifie de ne pas se régaler quand on mange végé! La preuve se trouve entre ces pages grâce à une diversité incroyable de repas sans viande qui combleront les besoins gastronomiques et nutritionnels des petits et des grands. Parce qu'après tout, manger végé peut se faire en toute simplicité!

Plus de 135 recettes remplies de saveurs et pleinement rassasiantes: que demander de mieux pour intégrer l'alimentation végétarienne à votre quotidien?

25 trucs et astuces pour manger végé

Manger végé, c'est loin d'être ennuyant! Avec toute la variété de recettes sans viande et d'idées de classiques revisités, la cuisine végé est à la portée de tous. Colorée, fraîche et remplie de saveurs, elle se réinvente constamment pour combler tous les goûts et satisfaire les appétits les plus gourmands.

Que ce soit quotidiennement ou à l'occasion, toutes les raisons sont bonnes pour manger des mets sans viande! Cela permet notamment de couper sur les gras saturés et de manger plus de protéines végétales riches en fibres et en antioxydants, et ainsi de diminuer son taux de cholestérol et de réduire les risques de maladies du cœur, de cancers et de diabète. C'est sans oublier les avantages pour le portefeuille, puisque la plupart des protéines végétales (légumineuses, tofu, etc.) sont économiques!

Vous êtes végétarien? Vous souhaitez simplement diminuer votre consommation de viande? Voici 25 conseils, infos et astuces pour manger végé dans le plaisir et surtout, pour combler tous les besoins essentiels au bon fonctionnement de votre corps!

1 Tour d'horizon du végétarisme

Quand on mange végé, est-ce que l'on peut manger du poisson? Des œufs? De la volaille? Ça dépend de chacun! Voici un tour d'horizon des différents types de végétariens.

- **Végétarien strict (ou végétalien):** exclut tout aliment d'origine animale (incluant les produits laitiers et les œufs), et ne mange que des végétaux (produits céréaliers, légumineuses, noix, graines, fruits, légumes...)
- **Ovo-lacto-végétarien:** exclut viande, volaille, poisson, fruits de mer et autres produits dérivés de ces aliments, mais consomme des œufs et des produits laitiers.
- **Lacto-végétarien:** exclut les œufs et les produits dérivés à base d'œufs (pâtes, gâteaux, etc.).
- **Pesco-végétarien:** exclut la viande, la volaille et les produits dérivés de ces aliments (bouillon de bœuf, de poulet, etc.), mais consomme du poisson et des fruits de mer.
- **Semi-végétarien:** exclut la viande rouge et mange œufs, produits laitiers, volaille et poisson.
- **Flexitarien:** exclut occasionnellement des aliments d'origine animale.

2 Conseils pour manger moins de viande

Quelle que soit votre motivation pour couper la viande ou diminuer votre consommation, il peut être difficile de changer ses habitudes, surtout au début. Voici quelques conseils pour y arriver.

- Diminuez progressivement votre consommation de viande en prévoyant de trois à quatre repas à base de protéines végétales par semaine.
- Dans vos mets à base de viande hachée, remplacez la moitié de la viande par des légumineuses ou du tofu émietté.
- Au resto, faites l'expérience de nouveaux plats végé pour découvrir de nouvelles saveurs et vous inspirer.

3 Des assiettes végé 100 % alléchantes

Des assiettes végé fades et peu appétissantes, c'est quasi impossible avec toutes les possibilités pour mettre les protéines végétales en valeur! Des idées? Miser sur la couleur, injecter de la saveur à vos plats (épices, fines herbes, zestes d'agrumes, miso, gingembre, etc.), intégrer des formes ludiques comme les légumes spirales et tester des recettes végé aux parfums d'ailleurs (sauté thaï, cari indien...). Autre astuce: reproduire à la perfection des classiques que tout le monde connaît (burger, lasagne, Général Tao, chili, sauce à spaghetti, etc.), de façon à ce que l'absence de viande passe ni vu ni connu et que toute la tablée se régale!

4 Exit, les carences!

Si vous craignez les carences en excluant certains aliments, sachez qu'il est facile de trouver des substituts qui vous fourniront tous les nutriments essentiels à la santé. La première étape: connaître les nutriments qui présentent des risques de carences ainsi que les aliments d'origine végétale qui vous permettront de combler vos besoins.

- **Le fer (favorise la production de globules rouges et le transport d'oxygène vers les cellules du corps):** légumes verts, légumineuses, produits à base de soya, certains fruits à écale et graines, fruits séchés.
- **Le zinc (essentiel à la croissance, aux fonctions cognitives et à la cicatrisation des plaies, stimule le système immunitaire):** légumineuses, certaines noix (pacanes, noix de cajou), arachides (et beurre d'arachide), grains entiers, produits céréaliers enrichis.
- **Les oméga-3 (participent notamment au bon fonctionnement du cœur et du cerveau):** huiles, graines de lin, edamames, tofu, noix de Grenoble.
- **La vitamine B12 (essentielle à la croissance, à la division cellulaire, au fonctionnement adéquat des cellules du corps et à l'équilibre du système nerveux):** céréales à déjeuner, boisson de soya ou simili-viande enrichie en vitamine B12.

5 Le fer : adapter sa consommation

Saviez-vous qu'un végétarien devrait augmenter sa consommation de fer ? La raison : le fer non hémique (contenu dans les végétaux) est moins facilement absorbé que le fer hémique (contenu dans les aliments d'origine animale). Au Canada, il est recommandé aux hommes âgés de 19 à 50 ans de consommer 8 mg de fer par jour et aux femmes, 18 mg. Pour un végétarien, il faudrait en consommer environ le double.

6 Combinez et assimilez !

Saviez-vous que des combinaisons alimentaires précises permettent de mieux assimiler certains nutriments ? Voici quatre duos gagnants à garder en tête !

1. **Vitamine A et gras monoinsaturés.** La vitamine A est essentielle pour assurer la santé des os, des tissus, de la vision et du système immunitaire. On la trouve dans les œufs, le beurre, le lait, le fromage ainsi que les fruits et légumes riches en bêta-carotène (cantaloup, carotte, citrouille...). En la combinant à des sources de bons gras monoinsaturés (amandes, avocat, huile d'olive, etc.), son absorption est maximisée.
2. **Fer et vitamine C.** Le fer favorise la production de globules rouges et le transport d'oxygène vers les cellules du corps. On le retrouve notamment dans certains légumes verts, les œufs, les légumineuses et les produits céréaliers. Pour mieux l'assimiler, mariez des aliments riches en fer à des sources de vitamine C (poivron rouge, orange, brocoli, etc.). Attention toutefois au calcium des produits laitiers, qui nuit à l'absorption du fer.
3. **Calcium et vitamine D.** Le calcium, présent dans les produits laitiers, le poisson en conserve et les légumes verts, contribue à la santé des os et des dents ainsi qu'au bon fonctionnement des cellules musculaires. En le combinant à de la vitamine D (jaune d'œuf, poissons gras, boissons végétales enrichies), vous l'absorberez mieux.
4. **Zinc et ail ou oignon.** En plus d'être essentiel à la croissance, aux fonctions cognitives et à la cicatrisation des plaies, le zinc stimule le système immunitaire. Dans quoi le retrouve-t-on ? Dans les céréales, les légumineuses et les légumes. Pour assimiler le zinc plus facilement, accompagnez ces aliments d'ail ou d'oignon.

7 Les principales sources de protéines végétales

Les protéines sont essentielles pour assurer le développement de nos muscles, nous fournir de l'énergie, nous procurer une sensation de satiété et nous protéger contre certaines maladies. Et remplacer la viande pour combler ses besoins en protéines, ce n'est pas compliqué ! Voici quelques idées de protéines végétales à intégrer à vos menus.

Sources de protéines végétales	Portion	Teneur en protéines
Tofu ferme	150 g (⅓ de lb)	21 à 22,5 g
Haricots (rouges, noirs, etc.)	175 ml (environ ¾ de tasse)	10 à 14 g
Lentilles	175 ml (environ ¾ de tasse)	13 g
Edamames	175 ml (environ ¾ de tasse)	12 g
Pois cassés	175 ml (environ ¾ de tasse)	11 g
Boisson de soya	250 ml (1 tasse)	8 g
Avoine	30 g (1 oz)	4 g
Quinoa et sarrasin	125 ml (½ tasse) cuit	4 g
Pâtes de blé entier	125 ml (½ tasse) cuites	4 g
Riz brun	125 ml (½ tasse) cuit	3 g

Source : « Les protéines : au cœur du régime végétarien », *Extenso*, extenso.org.

8 Autres sources de protéines

D'autres aliments peuvent vous aider à combler vos besoins quotidiens en protéines. Des idées? Le tempeh, le yogourt, les œufs, le miso, le houmous, le fromage, les graines, les céréales, la spiruline, le lait écrémé en poudre, etc. En variant le plus possible votre alimentation, vous comblerez plus facilement vos besoins!

9 Les protéines : combien en avons-nous besoin?

Même si on recommande de consommer un minimum de 15 g de protéines par repas, les besoins varient d'une personne à l'autre selon son poids. Pour évaluer vos besoins quotidiens, calculez 0,8 g de protéines par kg de poids. Dans le cas d'une personne très active physiquement, vous pouvez augmenter la quantité à 1,8 g par kg.

10 Répartition des protéines

Que vous soyez végétarien ou carnivore dans l'âme, vous devriez consommer la même quantité de protéines dans la journée afin d'aider votre corps à accomplir ses tâches, soit un minimum de 45 g de protéines réparties sur les trois repas principaux. Pour un repas, une portion raisonnable équivaut par exemple à 250 ml (1 tasse) de légumineuses (de 15 à 30 g de protéines, selon la variété), 175 ml (environ ¾ de tasse) de tofu ferme (environ 17 g de protéines) ou deux œufs cuits dur (12 g de protéines). Si vous ne consommez aucune protéine dérivée d'un produit animal, il sera important de consommer quotidiennement au moins une portion de protéines végétales procurant des acides aminés essentiels qui ne peuvent être produits par le corps humain, c'est-à-dire des légumineuses, des pseudocéréales (quinoa, amarante, chia, etc.), du soya entier ou encore des noix et des graines. Si votre repas ne comprend pas au moins l'un de ces aliments, il est important de combiner différentes sources de protéines végétales afin d'aller chercher tous les acides aminés essentiels.

11 Sur la trace des noix

Bourrées de fibres, de vitamines et de minéraux ainsi que source de gras bénéfiques pour le cœur, les noix fournissent aussi une belle dose de protéines, en plus de procurer du calcium, du fer et du potassium. Quelles variétés en fournissent le plus? Voyez par vous-même ici!

Par portion de 125 ml (½ tasse)						
	Amandes	**Noix de Grenoble**	**Pacanes**	**Pistaches**	**Noisettes**	**Noix de cajou**
Calories	209	199	198	**178**	194	199
Protéines (g)	**7,7**	4,6	2,7	6,7	4,5	5,2
Calcium (mg)	**93**	30	20	34	37	16
Fer (mg)	**1,6**	0,9	0,8	1,3	1,3	2
Potassium (mg)	261	134	118	**325**	226	196

12

Le beurre de noix : un substitut gagnant !

Pour bonifier en protéines vos sauces, smoothies, déjeuners ou collations, le beurre de noix est assurément un bon choix ! En effet, 30 ml (2 c. à soupe) de beurre d'arachide naturel fournissent 4 g de protéines. La même portion de beurre d'amande naturel en renferme 6 g, le beurre de cajou en procure 5 g et le beurre de graines de citrouille en contient 10 g. Pour faire un bon choix, assurez-vous cependant de choisir une version 100 % naturelle, sans additifs.

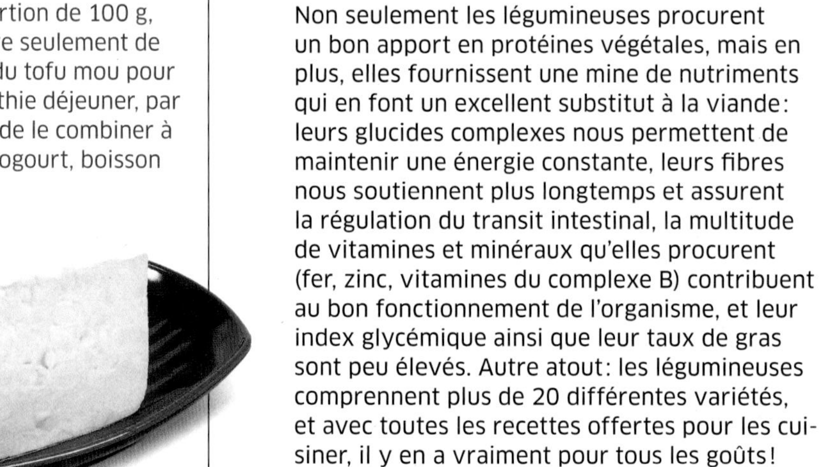

13

Le tofu : un allié santé

Pour profiter des bienfaits du tofu et d'un max de goût, essayez-le en version fumée : sa saveur boisée (pas trop prononcée !) agrémentera une foule de recettes (sandwich, salade, fondue chinoise, soupe, pizza, etc.).

En plus de comprendre tous les acides aminés essentiels, de procurer de bons gras (monoinsaturés et polyinsaturés), d'être exempt de cholestérol et d'être source de plusieurs vitamines et minéraux (fer, magnésium, calcium, protéines...), le tofu présente un goût neutre qui permet de le cuisiner à toutes les sauces ! Sachez toutefois que tous les tofus ne s'équivalent pas : le tofu ferme fournit de 15 à 17 g de protéines par portion de 100 g, tandis que le tofu mou en procure seulement de 5 à 6 g. Ainsi, si vous employez du tofu mou pour un repas complet (dans un smoothie déjeuner, par exemple), il faudra vous assurer de le combiner à une autre source de protéines (yogourt, boisson de soya, fromage, noix, etc.) afin de combler tous vos besoins. Autre conseil : préférez un tofu certifié biologique fabriqué avec des fèves de soya sans OGM.

14 Max de saveurs pour le tofu

Fade et sans saveur, le tofu ? Bien au contraire! Non seulement il absorbe au maximum la saveur des aliments et des condiments qui l'accompagnent, mais en plus, il est possible d'acheter des versions aromatisées de tofu ferme (fines herbes, légumes, gingembre, épinards et jalapeño, etc.) ou de tofu dessert (noix de coco, amandes, pêches et mangues, banane, etc).

15 Zoom sur les légumineuses

Non seulement les légumineuses procurent un bon apport en protéines végétales, mais en plus, elles fournissent une mine de nutriments qui en font un excellent substitut à la viande : leurs glucides complexes nous permettent de maintenir une énergie constante, leurs fibres nous soutiennent plus longtemps et assurent la régulation du transit intestinal, la multitude de vitamines et minéraux qu'elles procurent (fer, zinc, vitamines du complexe B) contribuent au bon fonctionnement de l'organisme, et leur index glycémique ainsi que leur taux de gras sont peu élevés. Autre atout : les légumineuses comprennent plus de 20 différentes variétés, et avec toutes les recettes offertes pour les cuisiner, il y en a vraiment pour tous les goûts !

17 Vrai ou faux ? Consommer du soya est mauvais pour la santé.

Faux. À ce jour, aucune étude n'a permis de conclure que le soya peut être dangereux pour la santé. Au contraire, des études ont même démontré certains effets bénéfiques du soya (réduction du cholestérol, notamment), et des études en cours tendent à lui attribuer d'autres bienfaits. Or, à ce jour, les seuls dangers concrets concernent des risques d'allergies (chez les enfants surtout), la diminution de l'absorption d'iode ainsi qu'une possible interférence dans les cas de problèmes de glande thyroïde.

16 Plus de légumineuses au menu !

Besoin d'idées pour intégrer plus de légumineuses à votre menu? En voici trois!

- Concoctez vos boulettes ou vos galettes de burger à base de légumineuses (pois chiches, haricots blancs, haricots rouges, lentilles, etc.).
- Intégrez des légumineuses ni vu ni connu dans vos desserts. Un pain bananes-lentilles, un brownie aux haricots noirs, un gâteau aux pois chiches... C'est si bon et tellement plus nutritif!
- Remplacez la moitié ou la totalité de la viande par des lentilles dans votre sauce à spaghetti, votre pâté chinois, votre chili, votre pain de viande, etc.

18 Des protéines sous forme de fromage !

Le fromage, voilà un aliment fort polyvalent en cuisine! En plus de rendre nos mets plus alléchants, il fournit plusieurs nutriments, dont des protéines qui nous soutiennent plus longtemps. Mais est-ce que tous les fromages se valent du point de vue de leur teneur en protéines? Il semblerait que non! C'est pourquoi il est intéressant de comparer les fromages entre eux:

- 50 g (1 ¾ oz) de brie: 10,5 g de protéines
- 50 g (1 ¾ oz) de mozzarella: 12,5 g de protéines
- 50 g (1 ¾ oz) de gruyère: 15 g de protéines
- 125 ml (½ tasse) de fromage cottage 2 % M.G.: 16,4 g de protéines

En raison de sa teneur faible en gras et élevée en protéines, le fromage cottage est un choix futé!

19 Le lait de vache et ses substituts se valent-ils tous ?

Que vous cherchiez un substitut au lait de vache ou que vous souhaitiez diversifier votre alimentation, voyez un comparatif des différentes options qui s'offrent à vous. À noter : si vous optez pour une boisson végétale, préférez un produit enrichi en vitamines et en minéraux afin de fournir tous les nutriments essentiels à votre organisme, et évitez les produits qui contiennent du sucre ajouté.

Boisson	Les plus	Les moins
Lait de vache	• Meilleure source de protéines que ses substituts • Source de calcium, de vitamines B12 et D, et plus particulièrement de vitamine D3 (d'origine animale), plus facile à assimiler par le corps que la vitamine D de source végétale	• Source de gras saturés reconnus nocifs pour la santé cardiovasculaire
Boisson de soya	• Ne contient ni cholestérol, ni lactose • Seule boisson végétale qui, à l'instar du lait, procure des protéines complètes • Les versions enrichies renferment du calcium et de la vitamine D	• Certains produits contiennent beaucoup de sucres ajoutés
Boisson aux amandes	• Ne contient ni cholestérol, ni lactose • Les boissons enrichies renferment du calcium et de la vitamine D • Renferme de bons gras (monoinsaturés)	• Fournit très peu de protéines • Certains produits contiennent beaucoup de sucres ajoutés
Boisson de riz	• Ne contient ni cholestérol, ni lactose • Les boissons enrichies renferment du calcium et de la vitamine D	• N'est pas une source de protéines • Riche en glucides • Certaines versions sont pauvres en nutriments • Pauvre en fibres (pour un meilleur apport, préférez la boisson de riz brun enrichie)
Lait de coco	• Ne contient ni cholestérol, ni lactose • Renferme de l'acide laurique (gras lié à l'augmentation du bon cholestérol)	• Contient plus de gras saturés reconnus nocifs pour la santé cardiovasculaire que le lait de vache • Ne contient ni protéines, ni calcium, ni vitamine D

20 Plus de nutriments grâce aux graines !

Les graines de chanvre, de chia et de lin sont loin d'être de simples graines à la mode ! Elles sont bourrées de nutriments et sont donc parfaites pour nous aider à prévenir les carences alimentaires.

- **15 ml (1 c. à soupe) de graines de chia fournissent :** 1,7 g de protéines, 1,1 g de fibres et 1,8 g d'oméga-3 (170 % des besoins quotidiens).
- **15 ml (1 c. à soupe) de graines de chanvre fournissent :** 4,6 g de protéines, 1 g de fibres et 0,75 g d'oméga-3 (68 % des besoins quotidiens).
- **15 ml (1 c. à soupe) de graines de lin fournissent :** 2,1 g de protéines, 3 g de fibres et 2,5 g d'oméga-3 (230 % des besoins quotidiens).

21 Le végépâté, on l'aime ou pas ?

À la recherche d'idées de protéines pour vos sandwichs et vos craquelins ou pour remplacer les charcuteries ? Fournissant de 3 à 5 g de protéines ainsi que l'équivalent de 100 à 150 calories par portion de 50 g, le végépâté est un bon choix ! Contrairement aux charcuteries, il ne renferme ni gras trans ni cholestérol et il est faible en gras saturés. Petit conseil : cuisinez-le à la maison afin de mieux contrôler la qualité des ingrédients qui s'y trouvent ou, si vous l'achetez à l'épicerie, prenez soin de lire les étiquettes nutritionnelles afin d'opter pour le meilleur choix possible, notamment en ce qui concerne la quantité de protéines et de sodium ainsi que la présence d'additifs.

22 Des salades-repas top nourrissantes !

Besoin d'idées pour composer des salades-repas végé variées? Voici quelques combinaisons goûteuses à souhait!

- Thon en conserve, quinoa, chou kale, brocoli blanchi et avocat
- Pois chiches rôtis, quinoa, maïs en grains, guacamole et jus de lime
- Tempeh grillé, orge, carotte, betterave, oignons verts et œuf cuit dur
- Tofu fumé, laitue, noix de Grenoble, pommes et canneberges
- Riz brun, lentilles, carotte râpée, graines de tournesol et oignons verts

23 Aliments dépanneurs

Voici une petite liste d'aliments de base à garder sous la main pour vous concocter des mets végé complets en deux temps trois mouvements!

- Noix et graines
- Légumineuses sèches ou en conserve (lentilles, haricots, pois chiches, etc.)
- Poisson en conserve (thon, saumon, sardines...)
- Œufs
- Yogourt
- Fromage
- Lait de vache ou boisson végétale
- Fruits et légumes frais
- Céréales (quinoa, couscous, riz, etc.)
- Condiments et épices

24 Les œufs : mauvais pour le cholestérol ?

Certaines personnes croient à tort que le cholestérol contenu dans les jaunes d'œufs influence négativement le cholestérol sanguin, augmentant ainsi les risques de développer une maladie du cœur. Or, chez les personnes en bonne santé, le cholestérol que contiennent certains aliments a peu d'impact sur le cholestérol sanguin. Les vrais responsables des problèmes de cholestérol sont plutôt les gras saturés et les gras trans, que l'on trouve dans la viande, les produits laitiers ainsi que dans les produits contenant des gras hydrogénés (la margarine, par exemple). Sachant qu'il est bourré de protéines et est source de vitamines A, B12, D et E, d'acide folique, de zinc ainsi que de phosphore, l'œuf est sans conteste un substitut de choix à la viande!

25 Si on ne mange pas d'œufs, on fait quoi ?

Vous avez exclu les œufs de votre alimentation? Voici quelques idées pour les remplacer dans vos recettes.

- Utiliser des substituts d'œufs vendus dans les magasins d'aliments naturels et dans certaines épiceries.
- Créer un mélange composé de 75 ml (environ ⅓ de tasse) de graines de lin et de 750 ml (3 tasses) d'eau. Porter à ébullition, puis laisser mijoter une trentaine de minutes.
- Pour recréer des œufs brouillés: utiliser du tofu ferme émietté.
- Pour remplacer un agent liant dans les pâtisseries: utiliser une petite banane mûre ou de la compote de pommes.
- Pour donner du volume aux pâtisseries: mélanger 15 ml (1 c. à soupe) de poudre à pâte avec 30 ml (2 c. à soupe) d'eau.

Classiques en version végé

Cigares au chou, pâté chinois, pain de viande, fajitas, tacos... Revisités à la sauce végé, ces classiques que l'on aime tant offrent un tour d'horizon gustatif qui attisera la curiosité de toutes les papilles, y compris celles des habitués « carnivores » !

Cigares au chou aux lentilles

Préparation : **15 minutes** • Cuisson : **25 minutes** • Quantité : **4 portions**

Mélange de légumes frais pour sauce à spaghetti ①
250 ml (1 tasse)

Lentilles rouges (ou corail) sèches ②
250 ml (1 tasse)

Chou de Savoie ③
8 grandes feuilles

Riz blanc à grains longs ④
cuit
375 ml (1 ½ tasse)

Mozzarella ⑤
râpée
250 ml (1 tasse)

PRÉVOIR AUSSI :

- **Bouillon de légumes**
  625 ml (2 ½ tasses)
- **Sauce tomate**
  du commerce
  500 ml (2 tasses)

FACULTATIF :

- **Thym**
  haché
  5 ml (1 c. à thé)

Préparation

Dans une grande poêle, chauffer un peu d'huile d'olive à feu moyen. Cuire le mélange de légumes de 2 à 3 minutes.

Ajouter les lentilles et 375 ml (1 ½ tasse) de bouillon de légumes. Porter à ébullition, puis laisser mijoter à feu doux de 12 à 15 minutes, jusqu'à ce que les lentilles soient cuites, mais encore croquantes.

Pendant ce temps, blanchir les feuilles de chou 1 minute dans une casserole d'eau bouillante salée. Égoutter et refroidir sous l'eau froide. Assécher sur du papier absorbant.

Dans un bol, mélanger la préparation aux lentilles avec le riz cuit, la mozzarella et, si désiré, le thym. Saler et poivrer.

Répartir la préparation au centre des feuilles de chou. Rabattre les côtés des feuilles sur la farce et rouler en serrant.

Dans la même poêle, verser le reste du bouillon et la sauce tomate. Déposer les cigares au chou dans la poêle, joint dessous. Porter à ébullition, puis couvrir et cuire à feu doux de 12 à 15 minutes.

PAR PORTION	
Calories	418
Protéines	25 g
Matières grasses	9 g
Glucides	62 g
Fibres	9 g
Fer	6 mg
Calcium	218 mg
Sodium	1 183 mg

Version maison

Sauce tomate

Dans une casserole, chauffer 15 ml (1 c. à soupe) d'huile d'olive à feu moyen. Cuire 1 oignon haché et 10 ml (2 c. à thé) d'ail haché de 1 à 2 minutes. Ajouter le contenu de 1 boîte de tomates étuvées de 540 ml. Saler et poivrer. Laisser mijoter 15 minutes à feu doux-moyen. Si désiré, garnir de feuilles de basilic.

Préparation pour pâte tempura ①
500 ml (2 tasses)

Tofu ferme ②
coupé en cubes
1 bloc de 454 g

1 brocoli ③
coupé en petits bouquets

3 demi-poivrons ④
de couleur variées
émincés

Sauce Général Tao ⑤
du commerce
375 ml (1 ½ tasse)

PRÉVOIR AUSSI :

- **Huile de canola**
  2 litres (8 tasses)
- **Oignons verts**
  hachés
  60 ml (¼ de tasse)

Tofu Général Tao

Préparation : **15 minutes** • Cuisson : **10 minutes** • Quantité : **4 portions**

Préparation

Dans un bol, mélanger la préparation pour pâte tempura avec 310 ml (1 ¼ tasse) d'eau froide.

Dans une friteuse ou dans une grande casserole, chauffer l'huile de canola jusqu'à ce qu'elle atteigne une température de 180 °C (350 °F) sur un thermomètre à cuisson. Si une casserole est utilisée, bien surveiller la cuisson pour éviter que l'huile ne surchauffe et ne s'enflamme.

Tremper les cubes de tofu dans la pâte tempura. Faire frire dans l'huile chaude de 4 à 5 minutes. Égoutter sur du papier absorbant.

Dans une casserole d'eau bouillante salée, blanchir le brocoli de 2 à 3 minutes. Égoutter.

Dans une poêle, chauffer un peu d'huile d'olive à feu moyen. Cuire les poivrons de 2 à 3 minutes.

Ajouter la sauce Général Tao et le brocoli dans la poêle. Porter à ébullition.

Ajouter les cubes de tofu frits dans la poêle. Remuer.

Garnir chaque portion d'oignons verts.

PAR PORTION	
Calories	943
Protéines	26 g
Matières grasses	63 g
Glucides	69 g
Fibres	4 g
Fer	6 mg
Calcium	216 mg
Sodium	1 113 mg

Version maison

Sauce Général Tao

Dans une casserole, chauffer 15 ml (1 c. à soupe) d'huile de canola à feu moyen. Cuire 60 ml (¼ de tasse) d'échalotes sèches (françaises) hachées, 5 ml (1 c. à thé) d'ail haché et 15 ml (1 c. à soupe) de gingembre haché de 1 à 2 minutes. Verser 30 ml (2 c. à soupe) de miel et laisser caraméliser 1 minute. Dans un bol, mélanger 125 ml (½ tasse) de ketchup avec 45 ml (3 c. à soupe) de vinaigre de riz, 45 ml (3 c. à soupe) de sauce soya, 30 ml (2 c. à soupe) de sauce aux huîtres, 160 ml (⅔ de tasse) de bouillon de légumes et 10 ml (2 c. à thé) de fécule de maïs. Verser cette préparation dans la casserole et porter à ébullition en remuant. Laisser mijoter de 2 à 3 minutes à feu doux.

Pâté chinois aux lentilles

Préparation : **15 minutes** • Cuisson : **27 minutes** • Quantité : **4 portions**

1. **Mélange de légumes frais pour sauce à spaghetti**
500 ml (2 tasses)

2. **Lentilles**
rincées et égouttées
1 boîte de 540 ml

3. **Maïs en crème**
1 boîte de 398 ml

4. **Maïs en grains**
1 boîte de 199 ml

5. **Purée de pommes de terre crème sure et ciboulette**
1 contenant de 680 g

PRÉVOIR AUSSI :

- **Assaisonnements italiens**
15 ml (1 c. à soupe)
- **Bouillon de légumes**
80 ml (⅓ de tasse)

FACULTATIF :

- **Cari**
5 ml (1 c. à thé)

Préparation

Préchauffer le four à 180 °C (350 °F).

Dans une casserole, chauffer un peu d'huile d'olive à feu moyen. Cuire le mélange de légumes et les assaisonnements italiens de 2 à 3 minutes.

Ajouter les lentilles, le bouillon et, si désiré, le cari. Porter à ébullition. Saler et poivrer.

Transférer la préparation aux lentilles dans un plat de cuisson carré de 20 cm (8 po).

Dans un bol, mélanger le maïs en crème avec le maïs en grains.

Couvrir la préparation aux lentilles du mélange de maïs, puis de purée de pommes de terre. Cuire au four de 25 à 30 minutes.

PAR PORTION	
Calories	414
Protéines	17 g
Matières grasses	10 g
Glucides	91 g
Fibres	10 g
Fer	5 mg
Calcium	95 mg
Sodium	953 mg

Astuce 5•15

Le pâté chinois : facile à personnaliser !

Le pâté chinois est parfait pour les soupers végé pressés ! Pour remplacer les lentilles ici, vous pouvez opter pour n'importe quelle autre légumineuse ou même pour le « sans-viande haché » (de type Yves Veggie Cuisine) offert en version nature, à l'italienne et à la mexicaine. Et si vous trouvez que la purée de pommes de terre manque un peu d'originalité, ajoutez-y des carottes, des patates douces, du panais ou encore du céleri-rave. Rien de plus simple pour réinventer ce plat tant apprécié !

Pain de viande aux lentilles

Préparation : **15 minutes** • Cuisson : **1 heure** • Quantité : **4 portions**

Lentilles (1)
rincées et égouttées
1 boîte de 540 ml

Mélange de légumes frais pour sauce à spaghetti (2)
375 ml (1 ½ tasse)

Cheddar fort (3)
râpé
250 ml (1 tasse)

Crème de tomate condensée (4)
1 boîte de 284 ml

1 grosse pomme de terre (5)
râpée

PRÉVOIR AUSSI :

- **Flocons d'avoine à cuisson rapide**
  375 ml (1 ½ tasse)
- **3 œufs**
  battus

FACULTATIF :

- **Cari**
  5 ml (1 c. à thé)

Préparation

Préchauffer le four à 180 °C (350 °F).

Dans un bol, mélanger les lentilles avec le mélange de légumes, le fromage, la crème de tomate, la pomme de terre, les flocons d'avoine, les œufs et, si désiré, le cari. Saler et poivrer.

Tapisser un moule à pain de 20 cm x 10 cm (8 po x 4 po) de papier parchemin, puis y déposer la préparation. Égaliser la surface en pressant avec le dos d'une cuillère.

Cuire au four de 1 heure à 1 heure 15 minutes, jusqu'à ce que la préparation soit prise.

PAR PORTION	
Calories	552
Protéines	29 g
Matières grasses	19 g
Glucides	72 g
Fibres	10 g
Fer	7 mg
Calcium	266 mg
Sodium	396 mg

Idée pour accompagner

Sauce barbecue à l'érable

Dans une petite casserole, mélanger 125 ml (½ tasse) de ketchup avec 45 ml (3 c. à soupe) de sirop d'érable, 15 ml (1 c. à soupe) de vinaigre de cidre et 5 ml (1 c. à thé) de paprika fumé. Porter à ébullition à feu doux.

Boulettes aux pois chiches, sauce crémeuse

Préparation : **15 minutes** • Cuisson : **8 minutes** • Quantité : **4 portions**

Quinoa ①
cuit
180 ml (¾ de tasse)

Pois chiches ②
rincés et égouttés
1 boîte de 540 ml

Poivre de la Jamaïque (quatre-épices) ③
moulu
2,5 ml (½ c. à thé)

Mélange de légumes frais pour sauce à spaghetti ④
375 ml (1 ½ tasse)

Crème à cuisson 15 % ⑤
250 ml (1 tasse)

PRÉVOIR AUSSI :
➤ **1 œuf**
➤ **Chapelure nature**
180 ml (¾ de tasse)

FACULTATIF :
➤ **Persil**
haché
60 ml (¼ de tasse)

Préparation

Dans le contenant du robot culinaire, déposer le quinoa cuit, les pois chiches, la moitié du poivre de la Jamaïque, le mélange de légumes, l'œuf et la chapelure. Saler et poivrer. Réduire en purée lisse.

Façonner 24 boulettes en utilisant environ 30 ml (2 c. à soupe) de préparation pour chacune d'elles.

Dans une poêle, chauffer un peu d'huile d'olive à feu moyen. Cuire les boulettes de 3 à 4 minutes en les retournant de temps en temps. Réserver dans une assiette.

Dans la même poêle, porter à ébullition la crème avec le poivre de la Jamaïque restant. Laisser mijoter à feu doux de 4 à 5 minutes.

Remettre les boulettes dans la poêle. Réchauffer de 1 à 2 minutes en remuant.

Si désiré, garnir de persil au moment de servir.

PAR PORTION	
Calories	437
Protéines	15 g
Matières grasses	19 g
Glucides	53 g
Fibres	7 g
Fer	5 mg
Calcium	168 mg
Sodium	210 mg

Idée pour accompagner

Purée de céleri-rave et pommes de terre

Peler 1 céleri-rave et 2 pommes de terre, puis les couper en cubes. Déposer dans une casserole et couvrir d'eau froide. Saler. Porter à ébullition, puis cuire de 20 à 25 minutes, jusqu'à tendreté. Réduire en purée avec 80 ml (⅓ de tasse) de lait chaud, 30 ml (2 c. à soupe) de beurre et 1,25 ml (¼ de c. à thé) de muscade. Saler, poivrer et remuer.

Pâté mexicain végé

Préparation : **15 minutes** • Cuisson : **40 minutes** • Quantité : **6 portions**

Pâte à tarte 1
350 g (environ ¾ de lb)

Haricots rouges 2
rincés et égouttés
1 boîte de 540 ml

Tofu ferme 3
1 bloc de 454 g

Salsa 4
375 ml (1 ½ tasse)

Mélange de fromages râpés 5
de type tex-mex
125 ml (½ tasse)

PRÉVOIR AUSSI :

➤ **Assaisonnements à chili**
15 ml (1 c. à soupe)

➤ **Œuf**
1 jaune battu

FACULTATIF :

➤ **Maïs en grains**
125 ml (½ tasse)

Préparation

Préchauffer le four à 205 °C (400 °F).

Diviser la pâte en deux. Sur une surface farinée, abaisser chacune des parts de pâte en un cercle de 30 cm (12 po).

Déposer l'une des abaisses dans un moule à tarte de 25 cm (10 po).

Assécher les haricots et le tofu à l'aide de papier absorbant.

Dans le contenant du robot culinaire, déposer les haricots et le tofu. Mélanger jusqu'à l'obtention d'une texture granuleuse.

Dans un bol, mélanger la préparation au tofu avec la salsa, les assaisonnements à chili et, si désiré, le maïs en grains. Saler et poivrer.

Déposer la préparation au tofu dans le moule à tarte et égaliser la surface. Couvrir de fromage, puis couvrir de la deuxième abaisse. Sceller le pourtour de la pâte. Badigeonner la pâte de jaune d'œuf. Inciser la pâte au centre.

Cuire au four de 40 à 45 minutes.

PAR PORTION	
Calories	520
Protéines	25 g
Matières grasses	23 g
Glucides	52 g
Fibres	8 g
Fer	5 mg
Calcium	128 mg
Sodium	834 mg

Idée pour accompagner

Salade d'avocats et de tomates

Dans un saladier, mélanger 60 ml (¼ de tasse) d'huile d'olive avec 30 ml (2 c. à soupe) de jus de lime, 15 ml (1 c. à soupe) de miel et 30 ml (2 c. à soupe) de coriandre hachée. Saler et poivrer. Ajouter 2 avocats coupés en quartiers, 18 tomates cerises coupées en deux et ½ oignon rouge émincé. Remuer.

Fajitas au tofu

Préparation : **15 minutes** • Cuisson : **8 minutes** • Quantité : **4 portions**

Tortillas ①
8 moyennes

Tofu ferme ②
coupé en tranches
1 bloc de 454 g

Assaisonnements à fajitas ③
15 ml (1 c. à soupe)

3 demi-poivrons ④
de couleurs variées
émincés

Salsa ⑤
375 ml (1 ½ tasse)

PRÉVOIR AUSSI :

- **1 oignon**
  émincé

FACULTATIF :

- **Coriandre**
  60 ml (¼ de tasse)
  de feuilles
- **Crème sure 14 %**
  125 ml (½ tasse)

Préparation

Préchauffer le four à 180 °C (350 °F).

Envelopper les tortillas dans une feuille de papier d'aluminium. Réchauffer au four de 4 à 5 minutes.

Pendant ce temps, saupoudrer les tranches de tofu avec la moitié des assaisonnements à fajitas.

Dans une poêle, chauffer un peu d'huile d'olive à feu moyen. Faire dorer le tofu de 3 à 4 minutes en remuant fréquemment.

Ajouter les poivrons et l'oignon. Cuire 1 minute.

Ajouter la salsa et le reste des assaisonnements à fajitas. Porter à ébullition, puis laisser mijoter 3 minutes à feu doux-moyen.

Garnir les tortillas de préparation au tofu et, si désiré, de coriandre et de crème sure.

PAR PORTION	
Calories	516
Protéines	30 g
Matières grasses	22 g
Glucides	51 g
Fibres	6 g
Fer	5 mg
Calcium	190 mg
Sodium	1 490 mg

Idée pour accompagner

Guacamole

Dans un bol, réduire en purée 2 avocats avec 5 ml (1 c. à thé) d'ail haché, 15 ml (1 c. à soupe) de zestes de lime et 45 ml (3 c. à soupe) de coriandre hachée. Saler et poivrer.

Tofu au beurre

Préparation : **15 minutes** • Cuisson : **20 minutes** • Quantité : **4 portions**

Tofu ferme ①
coupé en petits cubes
1 bloc de 454 g

1 petit chou-fleur ②
coupé en petits bouquets

Ail ③
haché
15 ml (1 c. à soupe)

Garam masala ④
15 ml (1 c. à soupe)

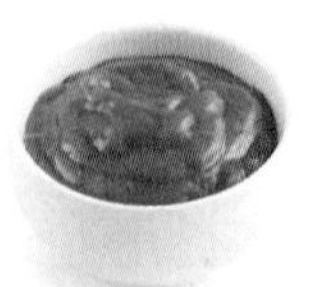

Sauce pour poulet au beurre ⑤
500 ml (2 tasses)

PRÉVOIR AUSSI :
➤ **Beurre**
45 ml (3 c. à soupe)
➤ **1 oignon**
haché

FACULTATIF :
➤ **Gingembre**
haché
15 ml (1 c. à soupe)
➤ **Coriandre**
60 ml (¼ de tasse)
de feuilles

Préparation

Dans une casserole, faire fondre le beurre à feu moyen. Faire dorer le tofu de 3 à 4 minutes sur toutes les faces. Réserver dans une assiette.

Dans la même casserole, cuire le chou-fleur de 2 à 3 minutes.

Remettre le tofu dans la casserole. Ajouter l'ail, l'oignon et, si désiré, le gingembre. Saupoudrer de garam masala. Saler et poivrer. Cuire 30 secondes, jusqu'à ce que les arômes se libèrent.

Ajouter la sauce pour poulet au beurre et porter à ébullition en remuant. Couvrir et laisser mijoter de 15 à 20 minutes.

Si désiré, parsemer de coriandre au moment de servir.

PAR PORTION	
Calories	440
Protéines	23 g
Matières grasses	28 g
Glucides	24 g
Fibres	5 g
Fer	4 mg
Calcium	176 mg
Sodium	600 mg

Idée pour accompagner

Pain naan au cari

Dans un bol, mélanger 30 ml (2 c. à soupe) d'huile de canola avec 5 ml (1 c. à thé) de cari et 1,25 ml (¼ de c. à thé) de piment thaï haché. Badigeonner les deux côtés de 3 pains naan avec la préparation. Couper en morceaux, puis déposer sur une plaque de cuisson tapissée de papier parchemin. Cuire au four de 5 à 8 minutes à 205 °C (400 °F).

Burger aux pois chiches et tofu

Préparation : **15 minutes** • Réfrigération : **10 minutes** • Cuisson : **11 minutes** • Quantité : **4 portions**

Tofu extra-ferme ①
1 bloc de 350 g

Pois chiches ②
rincés et égouttés
250 ml (1 tasse)

Flocons d'avoine à cuisson rapide ③
125 ml (½ tasse)

Sauce teriyaki épaisse ④
30 ml (2 c. à soupe)

4 pains à hamburger au sésame ⑤

PRÉVOIR AUSSI :
- **Échalotes sèches (françaises)** hachées 60 ml (¼ de tasse)
- **Beurre d'arachide** 15 ml (1 c. à soupe)

FACULTATIF :
- **Coriandre** hachée 30 ml (2 c. à soupe)
- **Gingembre** haché 15 ml (1 c. à soupe)

Préparation

Dans le contenant du robot culinaire, déposer le tofu, les pois chiches, les flocons d'avoine, la sauce teriyaki, les échalotes, le beurre d'arachide et, si désiré, la coriandre et le gingembre. Mélanger jusqu'à l'obtention d'une préparation granuleuse.

Façonner quatre galettes avec la préparation. Réserver au frais de 10 à 15 minutes.

Au moment de la cuisson, préchauffer le four à 205 °C (400 °F).

Déposer les galettes de tofu sur une plaque de cuisson tapissée de papier parchemin. Cuire au four de 10 à 12 minutes, en retournant les galettes à mi-cuisson.

Diviser les pains en deux et les faire griller au four 1 minute à la position « gril » (*broil*).

Si désiré, tartiner les pains de sauce sésame et coriandre (voir recette ci-dessous). Garnir d'une galette de tofu et, si désiré, de garnitures au choix (tomate, mangue, shiitakes, feuilles de bébé chou frisé, etc.).

PAR PORTION	
Calories	382
Protéines	20 g
Matières grasses	11 g
Glucides	54 g
Fibres	6 g
Fer	5 mg
Calcium	254 mg
Sodium	695 mg

Idée pour accompagner

Sauce sésame et coriandre

Mélanger 80 ml (⅓ de tasse) de mayonnaise ordinaire avec 60 ml (¼ de tasse) de mayonnaise au sésame (de type Wafu), 30 ml (2 c. à soupe) de coriandre hachée, 15 ml (1 c. à soupe) de sauce teriyaki et 2,5 ml (½ c. à thé) de piment thaï haché.

Wellington aux épinards et fromage de chèvre

Préparation : **15 minutes** • Cuisson : **1 heure** • Quantité : **8 portions**

Asperges ①
coupées en tronçons de 2,5 cm (1 po)
450 g (1 lb)

2 poivrons rouges ②
hachés finement

Bébés épinards ③
1 contenant de 142 g

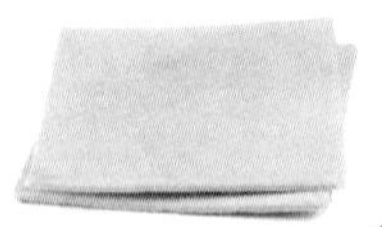

Pâte feuilletée ④
1 paquet de deux feuilles pliées de 200 g chacune

Fromage de chèvre crémeux ⑤
émietté
150 g (⅓ de lb)

PRÉVOIR AUSSI :
- **Pesto de basilic**
  30 ml (2 c. à soupe)
- **1 œuf**
  battu

FACULTATIF :
- **1 petit oignon**
  haché
- **Basilic**
  haché
  10 ml (2 c. à thé)

PAR PORTION	
Calories	328
Protéines	10 g
Matières grasses	22 g
Glucides	24 g
Fibres	4 g
Fer	3 mg
Calcium	100 mg
Sodium	239 mg

Préparation

Dans une casserole, chauffer un peu d'huile d'olive à feu moyen. Cuire les asperges, les poivrons et, si désiré, l'oignon 10 minutes, jusqu'à ce que les légumes soient tendres.

Ajouter les bébés épinards et cuire 2 minutes.

Incorporer le pesto. Saler et poivrer. Retirer du feu et réserver.

Préchauffer le four à 220 °C (425 °F).

Dans un moule à pain de 23 cm x 13 po (9 po x 5 po), déposer une feuille de pâte feuilletée en laissant le papier de cuisson dessous. Bien presser la pâte pour qu'elle épouse la forme du moule. Piquer la pâte à l'aide d'une fourchette.

Parsemer de fromage de chèvre, puis couvrir de préparation aux légumes. Si désiré, parsemer de basilic. Déposer la seconde feuille de pâte feuilletée sur la première et les sceller ensemble. Couper l'excédent de pâte.

À l'aide d'un pinceau, badigeonner la pâte d'œuf battu. À l'aide de la pointe d'un couteau, percer deux trous sur la pâte.

Cuire au four 15 minutes.

Diminuer la température du four à 180 °C (350 °F) et poursuivre la cuisson 45 minutes, jusqu'à ce que la pâte soit dorée et gonflée.

Retirer du four. Laisser tiédir avant de trancher.

Idée pour accompagner

Mesclun aux tomates et bocconcinis

Dans un saladier, fouetter 45 ml (3 c. à soupe) d'huile d'olive avec 15 ml (1 c. à soupe) de vinaigre balsamique et 5 ml (1 c. à thé) de moutarde de Dijon. Ajouter 750 ml (3 tasses) de mélange de laitues printanier, de 12 à 15 tomates cerises coupées en deux et 250 ml (1 tasse) de mini-bocconcinis. Saler, poivrer et bien mélanger.

Accompagnez votre Wellington de mesclun aux tomates pour ajouter 5 g de protéines par portion et obtenir un repas complet !

Recette de Ève Godin, nutritionniste. Photo pâte feuilletée : Shutterstock.

Pâté au poulet (sans poulet!)

Préparation : **15 minutes** • Cuisson : **35 minutes** • Quantité : **de 4 à 6 portions**

1 Préparation pour sauce béchamel
du commerce
1 sachet de 40 g

2 Macédoine de légumes surgelée
décongelée et bien égouttée
750 ml (3 tasses)

3 Haricots blancs
rincés et égouttés
1 boîte de 540 ml

4 Tofu ferme
coupé en dés
250 g (environ ½ lb)

5 Pâte à tarte
250 g (environ ½ lb)

PRÉVOIR AUSSI :

- **Ail**
  haché
  15 ml (1 c. à soupe)
- **Bouillon de légumes**
  180 ml (¾ de tasse)

FACULTATIF :

- **Muscade**
  1,25 ml (¼ de c. à thé)
- **Persil**
  haché
  60 ml (¼ de tasse)

Préparation

Préchauffer le four à 180 °C (350 °F).

Dans une casserole, préparer la sauce béchamel selon les indications de l'emballage.

Dans une autre casserole, chauffer un peu d'huile d'olive à feu moyen. Cuire la macédoine de légumes et l'ail 2 minutes.

Ajouter le bouillon, la sauce béchamel, si désiré, la muscade. Saler et poivrer. Couvrir et cuire de 3 à 4 minutes en remuant de temps en temps.

Ajouter les haricots blancs, le tofu et, si désiré, le persil. Remuer. Rectifier l'assaisonnement au besoin.

Verser la préparation aux haricots dans quatre à six ramequins de 11,5 cm (4 ½ po) de diamètre.

Sur une surface légèrement farinée, abaisser la pâte en quatre à six cercles de 12,7 cm (5 po) de diamètre. Déposer les cercles de pâte sur les ramequins. Badigeonner la pâte d'un peu d'eau.

Cuire au four de 30 à 35 minutes.

PAR PORTION	
Calories	443
Protéines	23 g
Matières grasses	18 g
Glucides	58 g
Fibres	9 g
Fer	5 mg
Calcium	238 mg
Sodium	598 mg

Version maison

Sauce béchamel

Dans une casserole, faire fondre 30 ml (2 c. à soupe) de beurre à feu moyen. Saupoudrer de 45 ml (3 c. à soupe) de farine et remuer. Verser 375 ml (1 ½ tasse) de lait et porter à ébullition en fouettant. Saler et poivrer.

Tacos aux légumes

Préparation : **15 minutes** • Cuisson : **10 minutes** • Quantité : **4 portions**

1 avocat ①

Maïs en grains ②
250 ml (1 tasse)

Sauce tomate ③
250 ml (1 tasse)

Assaisonnements à tacos ④
15 ml (1 c. à soupe)

Tortillas ⑤
8 petites

PRÉVOIR AUSSI :
- **1 poivron jaune**
- **Lime**
15 ml (1 c. à soupe) de jus

FACULTATIF :
- **1 petit oignon rouge**
- **½ courge Butternut** coupée en dés

Préparation

Trancher l'avocat, le poivron et, si désiré, l'oignon rouge. Arroser l'avocat de jus de lime.

Dans une poêle, chauffer un peu d'huile d'olive à feu moyen. Si désiré, cuire les dés de courge de 4 à 5 minutes.

Ajouter le poivron, le maïs en grains et, si désiré, l'oignon rouge. Poursuivre la cuisson 2 minutes.

Ajouter la sauce tomate. Porter à ébullition à feu moyen en remuant.

Incorporer les assaisonnements à tacos et cuire de 2 à 3 minutes.

Chauffer une poêle antiadhésive à feu moyen. Cuire chaque tortilla 15 secondes de chaque côté.

Garnir les tortillas de préparation aux légumes, de tranches d'avocat et, si désiré, de purée de courge et noix de cajou (voir recette ci-dessous).

PAR PORTION	
Calories	439
Protéines	12 g
Matières grasses	17 g
Glucides	65 g
Fibres	10 g
Fer	4 mg
Calcium	74 mg
Sodium	1 116 mg

Idée pour accompagner

Purée de courge et noix de cajou

Couper les extrémités de ½ courge Butternut et retirer la peau. Couper la courge en deux sur la longueur. Retirer les pépins, puis couper la courge en dés. Dans une casserole, faire fondre 30 ml (2 c. à soupe) de beurre à feu doux-moyen. Cuire 1 oignon haché et les dés de courge de 3 à 4 minutes. Ajouter 60 ml (¼ de tasse) de beurre de noix de cajou, 5 ml (1 c. à thé) de cumin, 2,5 ml (½ c. à thé) de curcuma et 180 ml (¾ de tasse) de bouillon de légumes. Saler et poivrer. Porter à ébullition, puis laisser mijoter 10 minutes à feu doux, jusqu'à tendreté. Réduire en purée à l'aide du mélangeur-plongeur. Au besoin, ajouter un peu de bouillon.

Garnissez vos tacos de purée de courge pour ajouter 6 g de protéines par portion et obtenir un repas complet !

Soupes-repas

Faciles à préparer, gorgées de saveurs et riches en nutriments, les soupes-repas rassasient la maisonnée en moins de deux ! Mettant à l'honneur une panoplie de protéines végétales, les recettes de cette section vous feront redécouvrir le plaisir de manger sans viande !

Soupe à l'oignon à la bière brune

Préparation : **15 minutes** • Cuisson : **45 minutes** • Quantité : **4 portions**

6 oignons ①
émincés

Bière brune ②
180 ml (¾ de tasse)

Bouillon de légumes ③
1 litre (4 tasses)

¼ de baguette de pain ④
coupée en huit tranches

Fromage suisse ⑤
râpé
250 ml (1 tasse)

PRÉVOIR AUSSI :

➤ **Farine**
60 ml (¼ de tasse)

➤ **Thym**
haché
5 ml (1 c. à thé)

Préparation

Dans une casserole, chauffer un peu d'huile d'olive à feu moyen. Cuire les oignons de 20 à 25 minutes à feu doux en remuant régulièrement, jusqu'à ce qu'ils soient dorés.

Saupoudrer de farine et remuer. Ajouter la bière, le bouillon et le thym. Saler et poivrer. Porter à ébullition à feu doux-moyen, puis cuire de 25 à 30 minutes.

Pendant ce temps, déposer les tranches de pain sur une plaque de cuisson tapissée de papier parchemin. Faire griller au four de 1 à 2 minutes de chaque côté à la position « gril » (*broil*).

Répartir la soupe dans quatre bols allant au four. Garnir chaque portion de deux croûtons. Couvrir de fromage.

Déposer les bols sur une plaque de cuisson. Faire gratiner au four de 2 à 3 minutes à la position « gril » (*broil*).

PAR PORTION	
Calories	321
Protéines	15 g
Matières grasses	12 g
Glucides	37 g
Fibres	3 g
Fer	1 mg
Calcium	292 mg
Sodium	863 mg

Secret de chef

Choisir la bonne variété d'oignons

Pour obtenir le parfait accord de saveurs d'oignons caramélisés et de fromage, optez pour une variété d'oignon très douce et sucrée, comme les oignons vidalia. Pour un goût plus prononcé, pensez à l'oignon espagnol qui, lui aussi, caramélise facilement. Vous n'avez que des oignons jaunes à la maison ? Ajoutez une pincée de sucre lors de la cuisson afin d'adoucir leur saveur !

Mélange de légumes frais pour soupe ①
375 ml (1 ½ tasse)

Pois jaunes cassés ②
250 ml (1 tasse)

Bouillon de légumes ③
1,5 litre (6 tasses)

Herbes salées ④
du commerce
20 ml (4 c. à thé)

Thym ⑤
haché
2,5 ml (½ c. à thé)

Soupe aux pois

Préparation : **15 minutes** • Cuisson : **47 minutes** • Quantité : **4 portions**

Préparation

Dans une casserole, chauffer un peu d'huile d'olive à feu moyen. Cuire le mélange de légumes de 2 à 3 minutes.

Ajouter les pois jaunes, le bouillon, les herbes salées et le thym. Remuer et porter à ébullition.

Couvrir et cuire de 45 minutes à 1 heure à feu doux. Saler et poivrer.

PAR PORTION	
Calories	264
Protéines	17 g
Matières grasses	4 g
Glucides	41 g
Fibres	5 g
Fer	3 mg
Calcium	37 mg
Sodium	1 409 mg

Version maison

Herbes salées

Couper grossièrement 1 carotte, 3 branches de céleri avec quelques feuilles, 1 petit oignon et 3 oignons verts. Dans le contenant du robot culinaire, déposer les légumes. Mélanger jusqu'à ce que les légumes soient hachés finement. Ajouter 80 ml (⅓ de tasse) de persil haché, 15 ml (1 c. à soupe) de ciboulette hachée, 15 ml (1 c. à soupe) de thym haché et 15 ml (1 c. à soupe) de romarin haché. Donner quelques impulsions afin que le mélange soit taillé en petits morceaux, mais pas réduit en purée. Transférer la préparation dans un bol. Incorporer 125 ml (½ tasse) de gros sel et 45 ml (3 c. à soupe) d'eau froide. Couvrir et réserver de 2 à 3 jours au frais, jusqu'à ce que le sel soit complètement dissous. Remuer, puis répartir le mélange dans des contenants hermétiques ou un pot Mason d'une capacité de 500 ml (2 tasses). Ces herbes se conservent au réfrigérateur de 4 à 6 semaines.

Soupe cheddar et brocoli

Préparation : **15 minutes** • Cuisson : **10 minutes** • Quantité : **4 portions**

Farine ①
60 ml (¼ de tasse)

Bouillon de légumes ②
750 ml (3 tasses)

Cheddar ③
râpé
375 ml (1 ½ tasse)

1 brocoli ④
coupé en petits bouquets

Crème à cuisson 15 % ⑤
180 ml (¾ de tasse)

PRÉVOIR AUSSI :
- **Beurre** 60 ml (¼ de tasse)
- **1 oignon** haché

FACULTATIF :
- **Ail** haché 10 ml (2 c. à thé)

Préparation

Dans une casserole, faire fondre le beurre à feu moyen. Cuire l'oignon et, si désiré, l'ail de 1 à 2 minutes.

Incorporer la farine, puis verser le bouillon de légumes. Porter à ébullition en fouettant.

Ajouter le cheddar et remuer jusqu'à ce qu'il soit fondu.

Ajouter le brocoli et la crème. Saler et poivrer. Porter à ébullition, puis cuire de 3 à 5 minutes.

À l'aide du mélangeur-plongeur, réduire la préparation en potage lisse.

PAR PORTION	
Calories	426
Protéines	15 g
Matières grasses	35 g
Glucides	15 g
Fibres	1 g
Fer	1 mg
Calcium	362 mg
Sodium	934 mg

Idée pour accompagner

Scones oignon et parmesan

Dans un bol, mélanger 625 ml (2 ½ tasses) de farine avec 15 ml (1 c. à soupe) de poudre à pâte. Dans un autre bol, fouetter 125 ml (½ tasse) de lait avec 125 ml (½ tasse) de yogourt nature, 1 œuf, 15 ml (1 c. à soupe) de thym haché, 3 oignons verts hachés et 125 ml (½ tasse) de parmesan râpé. Saler et poivrer. Incorporer les ingrédients secs en remuant. Façonner 12 boules de pâte, puis déposer sur une plaque de cuisson tapissée de papier parchemin. Cuire au four de 20 à 25 minutes à 180 °C (350 °F).

Soupe minestrone aux légumineuses

Préparation : **15 minutes** • Cuisson : **22 minutes** • Quantité : **4 portions**

Mélange de légumes frais pour sauce à spaghetti ①
750 ml (3 tasses)

Tomates en dés ②
1 boîte de 540 ml

Bouillon de légumes ③
1 litre (4 tasses)

Petites coquilles ④
180 ml (¾ de tasse)

Haricots mélangés ⑤
rincés et égouttés
1 boîte de 540 ml

PRÉVOIR AUSSI :
> **Parmesan**
râpé
60 ml (¼ de tasse)

Préparation

Dans une casserole, chauffer un peu d'huile d'olive à feu moyen. Cuire le mélange de légumes de 2 à 3 minutes.

Ajouter les tomates en dés et le bouillon de légumes. Porter à ébullition, puis laisser mijoter 15 minutes.

Ajouter les coquilles et les haricots. Remuer. Cuire de 5 à 10 minutes, jusqu'à ce que les pâtes soient *al dente*.

Au moment de servir, parsemer chacune des portions de parmesan.

PAR PORTION	
Calories	321
Protéines	16 g
Matières grasses	7 g
Glucides	52 g
Fibres	9 g
Fer	4 mg
Calcium	178 mg
Sodium	1 508 mg

Idée pour accompagner

Petits pains aux tomates séchées, olives et noix de pin

Dans un bol, mélanger 500 ml (2 tasses) de farine avec 10 ml (2 c. à thé) de poudre à pâte. Saler et poivrer. Dans un autre bol, mélanger 80 ml (⅓ de tasse) d'huile d'olive avec 180 ml (¾ de tasse) de lait, 80 ml (⅓ de tasse) de tomates séchées émincées, 60 ml (¼ de tasse) de parmesan râpé, 60 ml (¼ de tasse) de basilic haché, 60 ml (¼ de tasse) d'olives Kalamata hachées, 60 ml (¼ de tasse) de noix de pin et 10 ml (2 c. à thé) d'ail haché. Incorporer aux ingrédients secs. Sur une plaque de cuisson tapissée de papier parchemin, étaler la pâte afin d'obtenir un carré de 2,5 cm (1 po) d'épaisseur. Couper en 20 pains, puis les espacer légèrement. Cuire au four de 18 à 20 minutes à 220 °C (425 °F).

Crème de pois verts et tofu soyeux

Préparation : **15 minutes** • Cuisson : **25 minutes** • Quantité : **4 portions**

2 pommes de terre ①
pelées et coupées en dés

Bouillon de légumes ②
1,5 litre (6 tasses)

Pois verts ③
surgelés
500 ml (2 tasses)

Tofu soyeux mou ④
(de type Sunrise)
250 ml (1 tasse)

Fromage fouetté à la crème ⑤
150 g (⅓ de lb)

PRÉVOIR AUSSI :

- **2 oignons** hachés
- **Micropousses au choix** ½ paquet de 75 g

Préparation

Dans une casserole, faire fondre un peu de beurre à feu moyen. Cuire les oignons 2 minutes, jusqu'à tendreté.

Ajouter les pommes de terre et le bouillon. Porter à ébullition, puis laisser mijoter 15 minutes.

Ajouter les pois verts et le tofu. Saler et poivrer. Prolonger la cuisson de 8 à 10 minutes.

À l'aide du mélangeur-plongeur, émulsionner la préparation jusqu'à l'obtention d'une crème lisse.

Répartir la crème de pois verts dans les bols. Garnir chaque portion d'une cuillerée de fromage fouetté à la crème et de micropousses.

PAR PORTION	
Calories	343
Protéines	16 g
Matières grasses	16 g
Glucides	37 g
Fibres	6 g
Fer	2 mg
Calcium	75 mg
Sodium	1 441 mg

À découvrir

La différence entre le tofu mou et le tofu ordinaire

Les tofus mous (dont la plupart sont soyeux) présentent une texture lisse et se défont aisément, ce qui permet de les incorporer à plusieurs préparations liquides (sauces, potages, smoothies) et desserts. Certains d'entre eux présentent toutefois une texture qui n'est pas suffisamment fine pour les smoothies : dans ce cas, on privilégie plutôt les tofus desserts. Les tofus ordinaires (fermes, mi-fermes, extra-fermes offerts en version granuleuse ou soyeuse), quant à eux, révèlent une texture allant de moelleuse à granuleuse qui leur permet de tenir à la cuisson. On peut les couper, puis les faire frire, sauter, griller ou mijoter. Émiettés, les tofus ordinaires non soyeux remplacent la viande hachée dans les sauces à spaghetti, les chilis et les pâtés. Ils peuvent aussi servir de garniture pour les pizzas et les sandwichs.

Chaudrée aux trois champignons

Préparation : **15 minutes** • Cuisson : **20 minutes** • Quantité : **4 portions**

Échalote sèche (française) ①
hachée
60 ml (¼ de tasse)

Mélange de champignons sauvages ②
750 ml (3 tasses)

Bouillon de légumes ③
1 litre (4 tasses)

Lait 2 % ④
250 ml (1 tasse)

Crème à cuisson 15 % ⑤
125 ml (½ tasse)

PRÉVOIR AUSSI :

➤ **Beurre**
45 ml (3 c. à soupe)

➤ **Farine**
80 ml (⅓ de tasse)

FACULTATIF :

➤ **Persil**
haché
30 ml (2 c. à soupe)

Préparation

Dans une casserole, faire fondre le beurre à feu moyen. Faire revenir l'échalote 1 minute, sans la laisser colorer.

Ajouter la moitié des champignons. Cuire 5 minutes.

Saupoudrer de farine et remuer. Verser le bouillon et le lait en remuant. Saler et poivrer. Porter à ébullition en fouettant constamment. Réduire le feu à doux, puis laisser mijoter 15 minutes.

Verser la préparation dans le contenant du mélangeur électrique. Ajouter la crème, puis mélanger jusqu'à l'obtention d'une texture onctueuse. Remettre la chaudrée dans la casserole.

Dans une poêle, chauffer un peu d'huile d'olive à feu moyen. Saisir le reste des champignons quelques minutes. Incorporer les champignons à la chaudrée.

Si désiré, garnir de persil au moment de servir.

PAR PORTION	
Calories	275
Protéines	8 g
Matières grasses	19 g
Glucides	19 g
Fibres	2 g
Fer	1 mg
Calcium	114 mg
Sodium	833 mg

Idée pour accompagner

Croûtons gratinés au cheddar et amandes

Trancher 200 g (environ ½ lb) de cheddar et ½ baguette de pain. Tartiner les tranches de pain avec 80 ml (⅓ de tasse) de confit d'oignons. Garnir de 60 ml (¼ de tasse) d'amandes hachées et de tranches de cheddar. Déposer les tranches de pain sur une plaque de cuisson tapissée de papier parchemin. Cuire au four de 7 à 8 minutes à 190 °C (375 °F).

Accompagnez votre chaudrée de croûtons gratinés pour ajouter 16 g de protéines par portion !

Soupe aux légumes

Préparation : **15 minutes** • Cuisson : **45 minutes** • Quantité : **4 portions**

Mélange de légumes frais pour soupe ①
500 ml (2 tasses)

Tomates en dés ②
1 boîte de 796 ml

Bouillon de légumes ③
du commerce
750 ml (3 tasses)

Haricots blancs ④
rincés et égouttés
1 boîte de 540 ml

Petites coquilles ⑤
250 ml (1 tasse)

PRÉVOIR AUSSI :
➤ **Laurier**
1 feuille

FACULTATIF :
➤ **Thym**
1 tige

Préparation

Dans une grande casserole, faire fondre un peu de beurre à feu moyen. Cuire le mélange de légumes de 5 à 6 minutes en remuant de temps en temps.

Ajouter les tomates en dés, le bouillon de légumes, les haricots blancs, la feuille de laurier et, si désiré, la tige de thym. Saler et poivrer. Porter à ébullition, puis laisser mijoter de 35 à 50 minutes.

Incorporer les coquilles et poursuivre la cuisson 10 minutes en remuant de temps en temps, jusqu'à ce que les pâtes soient *al dente*.

PAR PORTION	
Calories	311
Protéines	16 g
Matières grasses	4 g
Glucides	56 g
Fibres	9 g
Fer	7 mg
Calcium	187 mg
Sodium	908 mg

Version maison

Bouillon de légumes

Couper en morceaux 3 carottes, 2 oignons, 2 branches de céleri, ½ poireau, 1 navet et 2 tomates. Déposer les légumes dans une casserole remplie de 3 litres (12 tasses) d'eau. Ajouter 2 gousses d'ail hachées, 1 tige de thym, 1 tige de romarin et 1 feuille de laurier. Saler et poivrer. Porter à ébullition, puis couvrir et laisser mijoter 1 heure 30 minutes à feu doux. Filtrer le bouillon à l'aide d'une passoire fine. Laisser refroidir à température ambiante. Conserver au frais ou congeler en portions de 250 ml (1 tasse).

Potage aux betteraves, céleri-rave et noix de cajou

Préparation : **15 minutes** • Cuisson : **40 minutes** • Quantité : **4 portions**

Vinaigre balsamique 1
15 ml (1 c. à soupe)

Céleri-rave 2
1 bulbe pelé et coupé en petits cubes

4 betteraves 3
pelées et coupées en petits cubes

Noix de cajou 4
125 ml (½ tasse)

Bouillon de légumes 5
2 litres (8 tasses)

PRÉVOIR AUSSI :
➤ **1 oignon** haché
➤ **Ail** 2 gousses hachées

PAR PORTION	
Calories	248
Protéines	10 g
Matières grasses	12 g
Glucides	27 g
Fibres	4 g
Fer	2 mg
Calcium	51 mg
Sodium	1 546 mg

Préparation

Dans une casserole, chauffer un peu d'huile d'olive à feu moyen. Cuire l'oignon et l'ail 1 minute.

Verser le vinaigre balsamique dans la casserole et remuer. Ajouter le céleri-rave, les betteraves et les noix de cajou. Cuire de 2 à 3 minutes.

Incorporer le bouillon de légumes. Porter à ébullition, puis cuire 40 minutes à feu doux-moyen, jusqu'à ce que le céleri-rave et les betteraves soient tendres.

Transvider la préparation dans le contenant du mélangeur électrique et émulsionner 1 minute, jusqu'à l'obtention d'une préparation lisse et onctueuse.

Idée pour accompagner

Garniture au pain et fromage en grains

Dans une poêle, faire fondre 15 ml (1 c. à soupe) de beurre à feu moyen. Faire dorer 2 tranches de pain coupées en dés de 1 à 2 minutes, jusqu'à ce qu'ils soient croustillants. Garnir chaque portion de potage de croûtons. Répartir 100 g (3 ½ oz) de fromage en grains dans les bols.

Accompagnez votre potage de cette garniture (à 8 g de protéines par portion) pour obtenir un repas complet !

6 gros oignons ①
émincés

6 poires ②
pelées et coupées en cubes

Bouillon de légumes ③
2 litres (8 tasses)

Pois chiches ④
rincés et égouttés
1 boîte de 540 ml

Crème à cuisson 15 % ⑤
180 ml (¾ de tasse)

PRÉVOIR AUSSI :

- **Ail**
  haché
  15 ml (1 c. à soupe)

Velouté d'oignons caramélisés et poires

Préparation : **15 minutes** • Cuisson : **33 minutes** • Quantité : **4 portions**

PAR PORTION	
Calories	221
Protéines	7 g
Matières grasses	7 g
Glucides	35 g
Fibres	6 g
Fer	1 mg
Calcium	61 mg
Sodium	595 mg

Préparation

Dans une casserole, chauffer un peu d'huile d'olive et de beurre à feu doux-moyen. Cuire les oignons de 8 à 10 minutes en remuant, jusqu'à ce qu'ils soient dorés.

Ajouter les poires et l'ail. Remuer et cuire 5 minutes.

Verser le bouillon de légumes et ajouter les pois chiches. Saler et poivrer. Porter à ébullition à feu moyen, puis laisser mijoter à feu doux de 20 à 25 minutes.

Transvider la préparation dans le contenant du robot culinaire. Ajouter la crème. Émulsionner 1 minute, jusqu'à l'obtention d'une préparation lisse.

Répartir le velouté dans des bols. Si désiré, parsemer de ciboulette et de paprika fumé.

Idée pour accompagner

Concassé de poire caramélisée

Dans une poêle, chauffer 7,5 ml (½ c. à soupe) d'huile d'olive à feu moyen. Cuire 1 poire coupée en petits dés de 2 à 3 minutes. Ajouter 7,5 ml (½ c. à soupe) de miel et remuer. Cuire de 1 à 2 minutes, jusqu'à ce que les dés de poire caramélisent.

FACULTATIF :

- **Ciboulette**
  hachée
  60 ml (¼ de tasse)
- **Paprika fumé**
  5 ml (1 c. à thé)

1 oignon ①
haché

8 à 10 carottes ②
pelées et coupées en morceaux

Bouillon de légumes ③
1 litre (4 tasses)

Crème à cuisson 35 % ④
125 ml (½ tasse)

Tofu soyeux mou ⑤
(de type Sunrise)
1 paquet de 300 g

PRÉVOIR AUSSI :
➤ **Huile d'olive**
30 ml (2 c. à soupe)
➤ **Farine**
60 ml (¼ de tasse)

Crème de carottes

Préparation : **15 minutes** • Cuisson : **22 minutes** • Quantité : **4 portions**

Préparation

Dans une casserole, chauffer l'huile à feu moyen. Cuire l'oignon et les carottes de 2 à 3 minutes.

Saupoudrer de farine et remuer. Cuire 30 secondes.

Ajouter le bouillon de légumes et laisser mijoter à feu moyen de 20 à 25 minutes.

Incorporer la crème et le tofu. Saler et poivrer.

Transférer la préparation dans le contenant du mélangeur électrique. Réduire la préparation en une purée lisse.

PAR PORTION	
Calories	346
Protéines	10 g
Matières grasses	20 g
Glucides	34 g
Fibres	5 g
Fer	2 mg
Calcium	94 mg
Sodium	860 mg

Idée pour accompagner

Croûtons au gorgonzola et ail

Couper ¼ de baguette de pain en douze tranches. Dans un bol, mélanger 150 g (⅓ de lb) de gorgonzola émietté avec 30 ml (2 c. à soupe) de beurre ramolli, 30 ml (2 c. à soupe) de persil haché et 5 ml (1 c. à thé) d'ail haché. Tartiner les croûtons avec cette préparation. Déposer les croûtons sur une plaque de cuisson tapissée de papier parchemin. Faire dorer au four de 1 à 2 minutes à la position « gril » (*broil*).

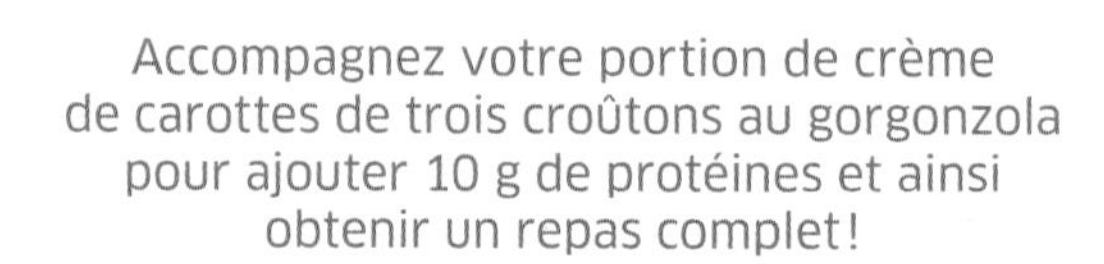

Accompagnez votre portion de crème de carottes de trois croûtons au gorgonzola pour ajouter 10 g de protéines et ainsi obtenir un repas complet !

Soupe thaïe aux lentilles corail

Préparation : **15 minutes** • Cuisson : **15 minutes** • Quantité : **4 portions**

Mélange de légumes frais pour soupe ❶
500 ml (2 tasses)

Pâte de cari rouge ❷
15 ml (1 c. à soupe)

Bouillon de légumes ❸
1,25 litre (5 tasses)

Lentilles corail ou rouges sèches ❹
rincées et égouttées
250 ml (1 tasse)

Noix de coco non sucrée râpée ❺
30 ml (2 c. à soupe)

PRÉVOIR AUSSI :
> **Ail**
2 gousses hachées finement

FACULTATIF :
> **Coriandre**
quelques feuilles

Préparation

Dans une casserole, chauffer un peu d'huile de canola à feu moyen-élevé. Cuire le mélange de légumes, la pâte de cari et l'ail de 1 à 2 minutes.

Verser le bouillon et ajouter les lentilles. Porter à ébullition, puis couvrir et cuire 10 minutes, jusqu'à ce que les lentilles soient tendres. Poivrer.

Au moment de servir, garnir de noix de coco et, si désiré, de coriandre.

PAR PORTION	
Calories	283
Protéines	16 g
Matières grasses	6 g
Glucides	43 g
Fibres	7 g
Fer	4 mg
Calcium	47 mg
Sodium	1 193 mg

Idée pour accompagner

Pains naan grillés à l'huile parfumée

Dans un bol, mélanger 60 ml (¼ de tasse) d'huile d'olive avec 10 ml (2 c. à thé) de paprika, 30 ml (2 c. à soupe) de coriandre hachée et 5 ml (1 c. à thé) d'ail haché. Poivrer. Badigeonner les deux côtés de 2 pains naan avec la préparation. Dans une poêle striée, cuire les pains naan de 1 à 2 minutes de chaque côté à feu moyen. Couper en quartiers.

Recette de Ève Godin, nutritionniste

Soupe aux haricots blancs et croustilles de betterave

Préparation : **15 minutes** • Cuisson : **22 minutes** • Quantité : **de 4 à 6 portions**

PAR PORTION	
Calories	283
Protéines	16 g
Matières grasses	7 g
Glucides	41 g
Fibres	10 g
Fer	5 mg
Calcium	126 mg
Sodium	756 mg

1 Échalotes sèches (françaises)
hachées
80 ml (⅓ de tasse)

2 Haricots blancs
rincés et égouttés
2 boîtes de 540 ml chacune

3 Bouillon de légumes
1,5 litre (6 tasses)

4 1 pomme de terre
pelée et coupée en cubes

5 1 betterave
pelée

PRÉVOIR AUSSI :

➤ **Ail**
haché
15 ml (1 c. à soupe)

➤ **Paprika fumé**
5 ml (1 c. à thé)

FACULTATIF :

➤ **Basilic**
30 ml (2 c. à soupe) de petites feuilles

Préparation

Dans une casserole, faire fondre un peu de beurre à feu moyen. Cuire les échalotes et l'ail 2 minutes.

Ajouter les haricots blancs, le bouillon de légumes et la pomme de terre. Saler et poivrer. Porter à ébullition, puis cuire de 20 à 25 minutes à feu doux-moyen.

Pendant ce temps, tailler la betterave en fines tranches à l'aide d'un économe ou d'une mandoline. Déposer dans une assiette tapissée de papier absorbant. Badigeonner les tranches d'un peu d'huile d'olive. Saler et saupoudrer de paprika fumé. Cuire au micro-ondes 2 minutes, puis laisser reposer 10 secondes. Poursuivre la cuisson 2 minutes, puis laisser reposer de nouveau 10 secondes. Poursuivre la cuisson de 1 à 2 minutes, en surveillant bien les tranches de betterave pour éviter qu'elles ne brûlent.

Dans le contenant du mélangeur électrique, verser la préparation aux haricots blancs. Émulsionner 1 minute, jusqu'à l'obtention d'une préparation lisse.

Répartir la soupe dans les bols. Garnir de croustilles de betterave et, si désiré, de feuilles de basilic. Arroser d'un filet d'huile d'olive.

Option santé

Les haricots blancs

Variété de légumineuses écono et nutritive, les haricots blancs ont plus d'un tour dans leur sac! En effet, une portion de 180 ml (¾ de tasse) de haricots blancs est une bonne source de protéines (13 g), de fer (4,90 mg, soit 35 % VQ) et de fibres (9 g, soit 36 % VQ), favorisant la satiété et assurant un bon transit intestinal. On a donc tout avantage à les cuisiner plus! Essayez les haricots blancs en version froide ou chaude dans vos salades, vos soupes ou vos plats tout-en-un.

Soupe aux lentilles et légumes

Préparation : **15 minutes** • Cuisson : **20 minutes** • Quantité : **4 portions**

1 poireau (1)
tranché finement

Bouillon de légumes (2)
1,25 litre (5 tasses)

Céleri (3)
1 ou 2 branches hachées

Chou-fleur (4)
coupé en petits morceaux
160 ml (⅔ de tasse)

Lentilles brunes (5)
rincées et égouttées
1 boîte de 540 ml

PRÉVOIR AUSSI :

- **Ail**
  1 gousse hachée finement
- **1 ou 2 carottes**
  tranchées

FACULTATIF :

- **1 ou 2 tomates**
  coupées en dés

Préparation

Dans une casserole, chauffer un peu d'huile d'olive à feu moyen. Cuire le poireau et l'ail 3 minutes.

Ajouter le bouillon, le céleri, le chou-fleur, les lentilles, les carottes et, si désiré, les tomates. Saler, poivrer et remuer. Porter à ébullition, puis laisser mijoter de 20 à 25 minutes en remuant de temps en temps, jusqu'à ce que les légumes soient tendres.

PAR PORTION	
Calories	230
Protéines	15 g
Matières grasses	4 g
Glucides	36 g
Fibres	8 g
Fer	4 mg
Calcium	67 mg
Sodium	958 mg

Option santé

Les lentilles

Véritables petites bombes nutritionnelles de la famille des légumineuses, les lentilles sont riches en fibres alimentaires, en protéines, en antioxydants, en minéraux ainsi qu'en vitamines, tout en étant pauvres en gras. Et ce n'est pas tout : elles sont écono et se digèrent plus facilement que la plupart des autres légumineuses. Avant de les cuisiner, assurez-vous de les rincer, qu'elles soient sèches ou en conserve. Dans quels mets les déguster ? Dans les soupes, les mijotés, les salades, en remplacement de la viande dans plusieurs plats et même dans certains desserts !

Tofu caméléon

Alléchant, le tofu ? Oh, que oui ! Aliment passe-partout, cette protéine de soya se prête à mille et une fantaisies culinaires pour appâter les palais des petits et des grands. Du *poke bowl* au sauté, en passant par la lasagne et le cari, faites l'expérience de saveurs inédites !

Sauce teriyaki pour marinade ①
125 ml (½ tasse)

Gingembre ②
haché
15 ml (1 c. à soupe)

Tofu ferme ③
coupé en cubes
1 bloc de 454 g

Brocoli ④
coupé en petits bouquets
500 ml (2 tasses)

Grains de poivre noir ⑤
grossièrement concassés
5 ml (1 c. à thé)

PRÉVOIR AUSSI :

- **Ail**
  haché
  15 ml (1 c. à soupe)
- **Fécule de maïs**
  80 ml (⅓ de tasse)

FACULTATIF :

- **1 poivron rouge**
  émincé
- **3 oignons verts**
  émincés

Tofu croustillant au poivre

Préparation : **15 minutes** • Marinage : **15 minutes** • Cuisson : **5 minutes** • Quantité : **4 portions**

Préparation

Dans un bol, mélanger la sauce teriyaki avec le gingembre et l'ail. Transférer le quart de la préparation dans un autre bol, puis y ajouter les cubes de tofu. Remuer pour bien les enrober de sauce. Couvrir et laisser mariner de 15 à 30 minutes au frais. Réserver le reste de la sauce au frais.

Au moment de la cuisson, égoutter les cubes de tofu et jeter la marinade.

Dans un bol, déposer la fécule de maïs, puis ajouter les cubes de tofu. Remuer afin de bien enrober le tofu de fécule.

Dans une poêle, chauffer un peu d'huile de canola à feu moyen. Cuire le brocoli et, si désiré, le poivron 2 minutes. Réserver dans une assiette.

Dans la même poêle, chauffer de nouveau un peu d'huile de canola à feu moyen. Cuire les cubes de tofu de 3 à 4 minutes en remuant de temps en temps.

Verser la sauce réservée dans la poêle. Ajouter le poivron, le brocoli et le poivre noir concassé. Remuer et porter à ébullition.

Si désiré, parsemer d'oignons verts au moment de servir.

PAR PORTION	
Calories	313
Protéines	21 g
Matières grasses	16 g
Glucides	21 g
Fibres	3 g
Fer	4 mg
Calcium	131 mg
Sodium	396 mg

Idée pour accompagner

Riz basmati au gingembre

Dans une casserole, chauffer 15 ml (1 c. à soupe) d'huile de canola à feu moyen. Cuire 80 ml (⅓ de tasse) d'échalotes sèches (françaises) hachées et 15 ml (1 c. à soupe) de gingembre haché 1 minute. Ajouter 250 ml (1 tasse) de riz basmati rincé et égoutté ainsi que 500 ml (2 tasses) de bouillon de légumes. Saler et poivrer. Porter à ébullition, puis couvrir et laisser mijoter à feu doux de 18 à 20 minutes. Égrainer le riz à l'aide d'une fourchette.

Tofu extra-ferme ❶
coupé en cubes
1 bloc de 350 g

Mélange de légumes surgelés de style asiatique ❷
750 ml (3 tasses)

Sauce teriyaki épaisse ❸
125 ml (½ tasse)

Coriandre ❹
hachée
60 ml (¼ de tasse)

Graines de sésame ❺
rôties
30 ml (2 c. à soupe)

PRÉVOIR AUSSI :
> **Huile de canola**
125 ml (½ tasse)

> **Bouillon de légumes**
réduit en sodium
80 ml (⅓ de tasse)

Tofu teriyaki

Préparation : **15 minutes** • Cuisson : **10 minutes** • Quantité : **4 portions**

Préparation

Dans une grande poêle ou dans un wok, chauffer l'huile à feu moyen. Cuire quelques cubes de tofu à la fois de 3 à 4 minutes, jusqu'à ce qu'ils soient dorés et croustillants. Assécher sur du papier absorbant.

Retirer le surplus d'huile de cuisson de la poêle en prenant soin d'en conserver 15 ml (1 c. à soupe).

Dans la poêle, cuire le mélange de légumes dans l'huile de cuisson réservée de 4 à 5 minutes à feu moyen.

Ajouter la sauce teriyaki et le bouillon de légumes. Porter à ébullition, puis laisser mijoter à feu doux de 2 à 3 minutes.

Remettre les cubes de tofu dans la poêle et remuer.

Au moment de servir, parsemer de coriandre et de graines de sésame.

PAR PORTION	
Calories	324
Protéines	17 g
Matières grasses	22 g
Glucides	19 g
Fibres	3 g
Fer	3 mg
Calcium	151 mg
Sodium	1 490 mg

Idée pour accompagner

Riz basmati aux arachides

Dans une poêle, chauffer 15 ml (1 c. à soupe) d'huile de sésame (non grillé) à feu moyen. Cuire 1 oignon haché et 80 ml (⅓ de tasse) d'arachides rôties de 1 à 2 minutes. Ajouter 250 ml (1 tasse) de riz basmati rincé et égoutté ainsi que 375 ml (1 ½ tasse) d'eau. Porter à ébullition. Saler et poivrer. Couvrir et cuire à feu doux de 18 à 20 minutes. Au moment de servir, ajouter 2 oignons verts émincés. Remuer.

Tofu parmigiana

Préparation : **15 minutes** • Cuisson : **14 minutes** • Quantité : **4 portions**

Tofu ferme ①
1 bloc de 454 g

Chapelure panko ②
250 ml (1 tasse)

Parmesan ③
râpé
60 ml (¼ de tasse)

Sauce tomate ④
250 ml (1 tasse)

Mozzarella ⑤
râpée
250 ml (1 tasse)

PRÉVOIR AUSSI :
- **2 œufs**
- **Assaisonnements italiens**
15 ml (1 c. à soupe)

FACULTATIF :
- **Basilic**
haché
30 ml (2 c. à soupe)

Préparation

Préchauffer le four à 205 °C (400 °F).

Couper le bloc de tofu en huit tranches de 1,3 cm (environ ½ po) d'épaisseur. Éponger les tranches à l'aide de papier absorbant.

Préparer deux assiettes creuses. Dans la première, battre les œufs. Dans la deuxième, mélanger la chapelure avec 30 ml (2 c. à soupe) de parmesan et les assaisonnements italiens.

Tremper les tranches de tofu dans les œufs battus, puis les enrober de chapelure. Tremper de nouveau les tranches de tofu dans les œufs battus, puis les enrober de chapelure.

Dans une poêle, chauffer un peu d'huile d'olive à feu moyen. Faire dorer les tranches de tofu de 2 à 3 minutes de chaque côté.

Déposer les tranches de tofu dans un plat de cuisson. Garnir de sauce tomate, de mozzarella et du reste du parmesan. Cuire au four de 8 à 10 minutes.

Régler le four à la position « gril » (*broil*) et faire gratiner de 2 à 3 minutes.

Si désiré, garnir de basilic au moment de servir.

PAR PORTION	
Calories	433
Protéines	33 g
Matières grasses	24 g
Glucides	20 g
Fibres	3 g
Fer	5 mg
Calcium	348 mg
Sodium	707 mg

Idée pour accompagner

Fettucines aux fines herbes et ail

Dans une casserole d'eau bouillante salée, cuire 250 g (environ ½ lb) de fettucines *al dente*. Égoutter. Dans la même casserole, chauffer 15 ml (1 c. à soupe) d'huile d'olive et 15 ml (1 c. à soupe) de beurre à feu moyen. Cuire 10 ml (2 c. à thé) d'ail haché de 1 à 2 minutes. Retirer du feu. Ajouter 30 ml (2 c. à soupe) de persil haché, 30 ml (2 c. à soupe) de basilic émincé et les pâtes. Saler, poivrer et remuer.

Riz frit au tofu

Préparation : **15 minutes** • Cuisson : **7 minutes** • Quantité : **4 portions**

Tofu extra-ferme ❶
coupé en cubes
1 bloc de 350 g

3 demi-poivrons ❷
de couleurs variées
coupés en morceaux

Mélange de pois sucrés et carottes ❸
égouttés
1 boîte de 284 ml

Riz blanc à grains longs ❹
cuit
750 ml (3 tasses)

Sauce soya ❺
45 ml (3 c. à soupe)

PRÉVOIR AUSSI :
➤ **Huile de canola** 45 ml (3 c. à soupe)
➤ **1 petit oignon** émincé

FACULTATIF :
➤ **Coriandre** 30 ml (2 c. à soupe) de feuilles

Préparation

Dans une grande poêle ou dans un wok, chauffer l'huile de canola à feu moyen-élevé. Faire dorer les cubes de tofu de 3 à 4 minutes en remuant de temps en temps.

Ajouter les poivrons, le mélange de pois sucrés et carottes ainsi que l'oignon. Poursuivre la cuisson de 3 à 4 minutes à feu moyen en remuant.

Ajouter le riz cuit et poursuivre la cuisson de 1 à 2 minutes en remuant.

Ajouter la sauce soya. Bien mélanger.

Si désiré, garnir de feuilles de coriandre au moment de servir.

PAR PORTION	
Calories	448
Protéines	20 g
Matières grasses	19 g
Glucides	50 g
Fibres	3 g
Fer	3 mg
Calcium	158 mg
Sodium	861 mg

Idée pour accompagner

Rouleaux impériaux cuits au four

Dans une poêle, chauffer 30 ml (2 c. à soupe) d'huile de sésame (non grillé) à feu moyen. Cuire ½ oignon haché, 15 ml (1 c. à soupe) de gingembre haché et 10 ml (2 c. à thé) d'ail haché de 1 à 2 minutes. Ajouter 500 ml (2 tasses) de chou chinois émincé finement, 8 pois mange-tout taillés en julienne, 5 shiitakes hachés, 2 carottes taillées en julienne et 150 g (⅓ de lb) de tofu ferme épongé et râpé. Cuire de 3 à 4 minutes. Incorporer 30 ml (2 c. à soupe) de sauce aux huîtres. Saler et poivrer. Sur le plan de travail, déposer de biais 4 feuilles à rouleaux de printemps (*spring roll pastry*) de 15 cm (6 po) surgelées décongelées. Au bas de chaque feuille, déposer 60 ml (¼ de tasse) de farce en laissant un pourtour de 2,5 cm (1 po). Rabattre la pointe du bas sur la farce, puis rouler la feuille en serrant. Une fois le premier tour complété, rabattre les pointes de côté vers le centre. Compléter le rouleau en serrant. Badigeonner le rebord de la pointe restante de jaune d'œuf battu. Terminer le rouleau en scellant avec la pointe du haut. Déposer dans une assiette et couvrir d'un linge humide. Confectionner quatre autres rouleaux en procédant de la même manière. Déposer les rouleaux sur une plaque de cuisson tapissée de papier parchemin, joint dessous. Badigeonner de 45 ml (3 c. à soupe) de beurre fondu. Cuire au four de 20 à 25 minutes à 180 °C (350 °F) en retournant les rouleaux à mi-cuisson.

Burger au tofu

Préparation : **15 minutes** • Cuisson : **13 minutes** • Quantité : **4 portions**

Tofu ferme ❶
1 bloc de 454 g

Chapelure panko ❷
ou chapelure nature
80 ml (⅓ de tasse)

1 carotte ❸
pelée et râpée

4 pains à hamburger ❹

Yogourt grec nature 0 % ❺
60 ml (¼ de tasse)

PRÉVOIR AUSSI :
- **2 œufs**
- **2 oignons verts** hachés

FACULTATIF :
- **Laitue frisée verte** 4 feuilles
- **2 mini-concombres** taillés en rubans

Préparation

Préchauffer le four à 205 °C (400 °F).

Égoutter, puis éponger le tofu avec du papier absorbant.

Dans le contenant du robot culinaire, émietter le tofu.

Ajouter la moitié de la chapelure et les œufs dans le robot culinaire. Mélanger jusqu'à l'obtention d'une texture pâteuse.

Transférer la préparation dans un bol. Ajouter la carotte et les oignons verts. Saler, poivrer et remuer.

Façonner quatre galettes avec la préparation au tofu.

Dans une assiette creuse, déposer la chapelure restante. Enrober les galettes de chapelure.

Dans une poêle allant au four, chauffer un peu d'huile d'olive à feu moyen. Cuire les galettes de 4 à 5 minutes de chaque côté, jusqu'à ce qu'elles soient dorées.

Poursuivre la cuisson au four 5 minutes.

Ouvrir les pains et les faire griller au grille-pain.

Tartiner la base des pains de yogourt grec. Garnir d'une galette de tofu et, si désiré, de laitue et de rubans de concombres.

PAR PORTION	
Calories	434
Protéines	30 g
Matières grasses	17 g
Glucides	40 g
Fibres	4 g
Fer	5 mg
Calcium	198 mg
Sodium	324 mg

Idée pour accompagner

Frites de légumes racines

Dans un bol, mélanger 15 ml (1 c. à soupe) d'huile d'olive avec 4 carottes pelées et coupées en bâtonnets, 3 panais pelés et coupés en bâtonnets et 2 pommes de terre pelées et coupées en bâtonnets. Saler et poivrer. Assaisonner d'herbes de Provence au goût. Déposer les bâtonnets de légumes sur une plaque de cuisson couverte de papier parchemin. Cuire au four 30 minutes à 205 °C (400 °F) en remuant quelques fois, jusqu'à ce que les bâtonnets de légumes soient dorés et tendres.

Recette de Ève Godin, nutritionniste

Poke bowl au tofu

Préparation : **15 minutes** • Marinage : **15 minutes** • Cuisson : **3 minutes** • Quantité : **4 portions**

Tofu ferme (1)
coupé en petits cubes
1 bloc de 454 g

Vinaigrette au sésame (2)
160 ml (⅔ de tasse)

Riz brun (3)
cuit
750 ml (3 tasses)

8 grosses asperges (4)

10 radis (5)

PRÉVOIR AUSSI :
➤ **2 mini-concombres**

Préparation

Dans un bol, mélanger les cubes de tofu avec le tiers de la vinaigrette. Laisser mariner au frais 15 minutes.

Dans un autre bol, mélanger le riz cuit avec la moitié de la vinaigrette restante.

Dans une casserole d'eau bouillante salée, cuire les asperges 3 minutes. Rafraîchir sous l'eau très froide et égoutter.

À l'aide d'une mandoline, couper les radis et les mini-concombres en fines rondelles. Couper les asperges en deux sur la longueur.

Dans quatre bols, répartir le riz. Répartir séparément les cubes de tofu, les radis, les mini-concombres et les asperges sur le riz. Napper du reste de la vinaigrette.

PAR PORTION	
Calories	470
Protéines	25 g
Matières grasses	18 g
Glucides	51 g
Fibres	5 g
Fer	5 mg
Calcium	136 mg
Sodium	288 mg

Pour varier

On explore le monde des vinaigrettes !

La beauté du *poke bowl* est que l'on peut adapter ses ingrédients aux goûts de tous ! Et cela s'applique aussi au choix de vinaigrette. Des exemples de saveurs qui s'accordent bien à ce mets frais ? Une vinaigrette aux arachides, une vinaigrette au tamari et gingembre ou même une sauce asiatique de type Wafu. Faites des essais : les possibilités pour parfumer votre *poke bowl* sont multiples !

Ratatouille de tofu aux fines herbes

Préparation : **15 minutes** • Cuisson : **45 minutes** • Quantité : **de 4 à 6 portions**

Tofu extra-ferme ①
coupé en cubes
1 bloc de 350 g

4 courgettes ②
coupées en cubes
2 jaunes et 2 vertes

2 petites aubergines ③
coupées en cubes

3 poivrons ④
coupés en cubes
1 rouge, 1 jaune et 1 vert

4 tomates ⑤
coupées en cubes

PRÉVOIR AUSSI :
- **Pâte de tomates à l'ail**
15 ml (1 c. à soupe)
- **Thym**
haché
15 ml (1 c. à soupe)

FACULTATIF :
- **2 oignons rouges**
coupés en cubes
- **Romarin**
haché
10 ml (2 c. à thé)

Préparation

Dans une casserole, chauffer un peu d'huile d'olive à feu moyen. Faire dorer les cubes de tofu de 4 à 5 minutes en remuant de temps en temps. Réserver dans une assiette.

Dans la même casserole, chauffer de nouveau un peu d'huile d'olive à feu moyen. Cuire les courgettes, les aubergines, les poivrons et, si désiré, les oignons rouges de 3 à 4 minutes en remuant.

Remettre les cubes de tofu dans la casserole. Ajouter la pâte de tomates, le thym et, si désiré, le romarin. Saler et poivrer. Couvrir et laisser mijoter à feu doux de 45 minutes à 1 heure.

PAR PORTION	
Calories	316
Protéines	16 g
Matières grasses	16 g
Glucides	33 g
Fibres	11 g
Fer	3 mg
Calcium	160 mg
Sodium	46 mg

Idée pour accompagner

Pâtes au parmesan

Dans une casserole d'eau bouillante salée, cuire 250 g (environ ½ lb) de capellinis *al dente*. Égoutter et remettre dans la casserole. Ajouter 30 ml (2 c. à soupe) d'huile d'olive, 80 ml (⅓ de tasse) de parmesan râpé et 60 ml (¼ de tasse) de persil haché. Saler et remuer.

Linguines ❶
350 g (environ ¾ de lb)

Tofu ferme ❷
coupé en dés
1 bloc de 454 g

Tomates en dés ❸
1 boîte de 540 ml

20 asperges ❹

Parmesan ❺
râpé
60 ml (¼ de tasse)

PRÉVOIR AUSSI :
➤ **1 oignon**
haché

Linguines au tofu et aux asperges

Préparation : **10 minutes** • Cuisson : **11 minutes** • Quantité : **4 portions**

Préparation

Dans une casserole d'eau bouillante salée, cuire les pâtes *al dente*. Égoutter.

Pendant ce temps, chauffer un peu d'huile d'olive à feu moyen dans une poêle. Cuire les cubes de tofu et l'oignon de 5 à 7 minutes en remuant de temps en temps.

Ajouter les tomates en dés et porter à ébullition.

Ajouter les asperges. Saler et poivrer. Poursuivre la cuisson de 3 à 4 minutes.

Incorporer les pâtes, puis réchauffer de 1 à 2 minutes en remuant.

Au moment de servir, parsemer de parmesan.

PAR PORTION	
Calories	616
Protéines	36 g
Matières grasses	16 g
Glucides	82 g
Fibres	7 g
Fer	10 mg
Calcium	230 mg
Sodium	340 mg

Idée pour accompagner

Croûtons au pesto

Couper ½ baguette de pain en douze croûtons. Badigeonner les deux côtés des croûtons avec 60 ml (¼ de tasse) de pesto de basilic. Déposer sur une plaque de cuisson tapissée de papier parchemin. Cuire au four de 8 à 10 minutes à 190 °C (375 °F).

Bâtonnets de tofu croustillants

Préparation : **15 minutes** • Marinage : **15 minutes** • Cuisson : **2 minutes** • Quantité : **4 portions (20 bâtonnets)**

Tofu ferme ①
1 bloc de 454 g

Sauce pad thaï ②
60 ml (¼ de tasse)

Chapelure panko ③
375 ml (1 ½ tasse)

Graines de sésame ④
30 ml (2 c. à soupe)

Piment d'Espelette ⑤
5 ml (1 c. à thé)

PRÉVOIR AUSSI :
- **Farine** 125 ml (½ tasse)
- **2 œufs**
- **Huile de canola** 80 ml (⅓ de tasse)

FACULTATIF :
- **Salade d'algues (wakamé)** 250 ml (1 tasse)

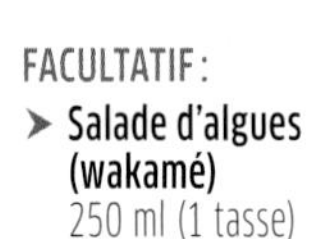

Préparation

Couper le bloc de tofu sur la longueur en 20 bâtonnets.

Dans un bol, verser la sauce pad thaï. Ajouter le tofu et remuer pour bien l'enrober de sauce. Laisser mariner de 15 minutes à 2 heures au frais.

Au moment de la cuisson, préparer trois assiettes creuses. Dans la première, déposer la farine. Dans la deuxième, battre les œufs. Dans la troisième, mélanger la chapelure panko avec les graines de sésame et le piment d'Espelette.

Égoutter les bâtonnets de tofu. Si désiré, conserver la marinade (elle servira à réaliser la recette de trempette asiatique ci-dessous).

Fariner les bâtonnets de tofu et secouer. Tremper les bâtonnets dans les œufs battus, puis les enrober de chapelure.

Dans une poêle, chauffer l'huile de canola à feu moyen. Cuire les bâtonnets de 2 à 3 minutes, en les retournant fréquemment. Assécher sur du papier absorbant. Si désiré, servir avec la salade d'algues.

PAR PORTION	
5 bâtonnets	
Calories	578
Protéines	29 g
Matières grasses	35 g
Glucides	37 g
Fibres	4 g
Fer	5 mg
Calcium	129 mg
Sodium	429 mg

Idée pour accompagner

Trempette asiatique

Mélanger 30 ml (2 c. à soupe) de la sauce pad thaï réservée dans la recette ci-dessus avec 80 ml (⅓ de tasse) de mayonnaise, 45 ml (3 c. à soupe) de vinaigrette japonaise (de type Wafu), 15 ml (1 c. à soupe) de ciboulette hachée et 5 ml (1 c. à thé) de sambal oelek.

½ petite courge **Butternut** ❶
coupée en cubes

Tofu ferme ❷
coupé en cubes
1 bloc de 454 g

3 demi-poivrons ❸
de couleurs variées
émincés

Champignons ❹
émincés
1 contenant de 227 g

Sauce aux arachides ❺
250 ml (1 tasse)

Sauté de tofu, sauce aux arachides

Préparation : **15 minutes** • Cuisson : **14 minutes** • Quantité : **4 portions**

Préparation

Dans une poêle, chauffer un peu d'huile de canola à feu moyen. Cuire la courge de 8 à 10 minutes, jusqu'à tendreté. Réserver dans une assiette.

Dans la même poêle, chauffer de nouveau un peu d'huile de canola à feu moyen. Cuire les cubes de tofu de 2 à 3 minutes en remuant de temps en temps.

Ajouter les poivrons et les champignons. Cuire 2 minutes.

Remettre la courge dans la poêle, puis ajouter la sauce aux arachides. Couvrir et porter à ébullition. Cuire 2 minutes. Si la sauce est trop épaisse, ajouter un peu d'eau.

Si désiré, garnir de coriandre et d'arachides au moment de servir.

PAR PORTION	
Calories	558
Protéines	31 g
Matières grasses	34 g
Glucides	36 g
Fibres	7 g
Fer	6 mg
Calcium	182 mg
Sodium	1 046 mg

Idée pour accompagner

Nouilles de riz aux noix

Réhydrater 200 g (environ ½ lb) de nouilles de riz pour sauté selon les indications de l'emballage. Égoutter. Dans une poêle, chauffer 80 ml (⅓ de tasse) de bouillon de légumes à feu moyen. Ajouter les nouilles. Saler et poivrer. Cuire de 1 à 2 minutes. Parsemer de 45 ml (3 c. à soupe) d'arachides hachées et de 45 ml (3 c. à soupe) de noix de cajou hachées.

FACULTATIF :

- **Coriandre**
  30 ml (2 c. à soupe)
  de feuilles
- **Arachides**
  hachées
  60 ml (¼ de tasse)

Lasagne à la courge

Préparation : **15 minutes** • Cuisson : **55 minutes** • Quantité : **6 portions**

1 courge Butternut ①

Lentilles ②
rincées et égouttées
1 boîte de 540 ml

Tofu soyeux mou ③
de type Sunrise
1 paquet de 300 g

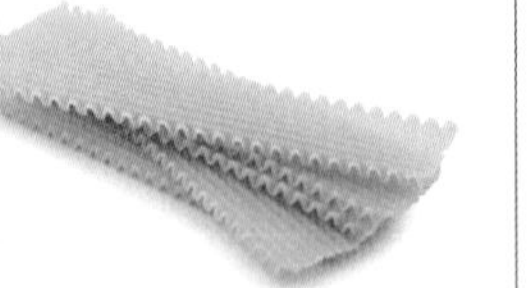

9 pâtes à lasagne sans précuisson ④

Coulis de tomates ⑤
125 ml (½ tasse)

PRÉVOIR AUSSI :
➤ **Mozzarella**
râpée
375 ml (1 ½ tasse)

FACULTATIF :
➤ **Muscade**
fraîchement râpée
au goût
➤ **Bébés épinards**
1 paquet de 142 g

Préparation

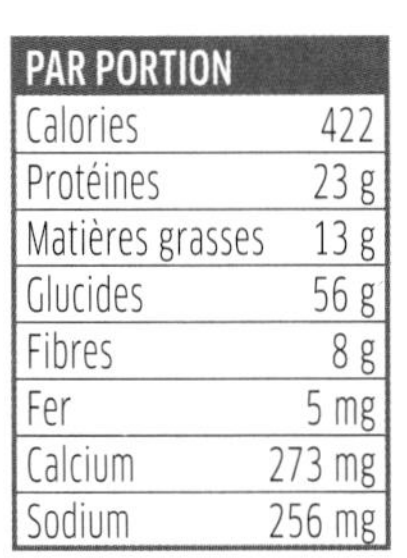

PAR PORTION	
Calories	422
Protéines	23 g
Matières grasses	13 g
Glucides	56 g
Fibres	8 g
Fer	5 mg
Calcium	273 mg
Sodium	256 mg

Préchauffer le four à 180 °C (350 °F).

Piquer la courge à plusieurs endroits à l'aide d'une fourchette ou d'un couteau. Déposer dans un plat allant au micro-ondes. Cuire au micro-ondes 5 minutes.

Couper la courge en deux sur la longueur, puis retirer les pépins. Remettre la courge dans le plat, puis cuire au micro-ondes 10 minutes, jusqu'à ce qu'elle soit tendre.

À l'aide d'une cuillère, prélever la chair des moitiés de courge et la déposer dans le contenant du robot culinaire. Mélanger jusqu'à l'obtention d'une purée lisse.

Transférer la purée de courge dans un bol. Ajouter les lentilles et, si désiré, la muscade. Remuer à l'aide d'une cuillère en bois. Rectifier l'assaisonnement au besoin. Réserver.

Si désiré, chauffer un peu d'huile d'olive à feu moyen et cuire les bébés épinards quelques minutes, jusqu'à ce qu'ils soient tombés. Saler et poivrer. Transférer les bébés épinards dans un bol.

Incorporer le tofu en le défaisant grossièrement à l'aide d'une fourchette. Saler et poivrer.

Verser la moitié du mélange à la courge au fond d'un plat de cuisson de 28 cm x 20 cm (11 po x 8 po). Couvrir du tiers de la mozzarella. Couvrir de trois autres pâtes à lasagne, puis de la préparation au tofu. Couvrir de trois pâtes à lasagne, puis du reste du mélange à la courge. Couvrir des trois pâtes à lasagne restantes, puis napper de coulis de tomates. Garnir du reste de la mozzarella.

Cuire au four 40 minutes, jusqu'à ce que le fromage soit gratiné.

Idée pour accompagner

Salade de tomates et concombre, vinaigrette aux fines herbes

Dans un saladier, fouetter 60 ml (¼ de tasse) d'huile d'olive avec 15 ml (1 c. à soupe) de vinaigre de vin rouge, 10 ml (2 c. à thé) de persil haché, 10 ml (2 c. à thé) de basilic haché, 5 ml (1 c. à thé) de moutarde de Dijon et 5 ml (1 c. à thé) d'aneth haché. Ajouter 375 ml (1 ½ tasse) de laitue Boston déchiquetée, 2 tomates coupées en cubes, ½ concombre tranché, ¼ d'oignon rouge émincé et 80 ml (⅓ de tasse) d'olives Kalamata tranchées. Saler, poivrer et remuer.

Cari de pois chiches et tofu

Préparation : **15 minutes** • Cuisson : **21 minutes** • Quantité : **4 portions**

Tofu extra-ferme ①
coupé en cubes
1 bloc de 350 g

Lait de coco ②
125 ml (½ tasse)

Tomates en dés ③
1 boîte de 540 ml

Pois chiches ④
rincés et égouttés
1 boîte de 540 ml

Bébés épinards ⑤
375 ml (1 ½ tasse)

PRÉVOIR AUSSI :
- **1 petit oignon** haché
- **Cari** 15 ml (1 c. à soupe)

FACULTATIF :
- **Menthe** quelques feuilles

Préparation

Dans une casserole, chauffer un peu d'huile de canola à feu moyen. Cuire les cubes de tofu et l'oignon de 3 à 4 minutes, jusqu'à ce que les cubes de tofu soient dorés.

Ajouter le lait de coco, les tomates en dés, le cari et les pois chiches. Porter à ébullition, puis laisser mijoter de 18 à 20 minutes à feu doux.

Ajouter les bébés épinards. Saler, poivrer et remuer.

Si désiré, garnir de menthe au moment de servir.

PAR PORTION	
Calories	379
Protéines	23 g
Matières grasses	19 g
Glucides	32 g
Fibres	6 g
Fer	5 mg
Calcium	196 mg
Sodium	46 mg

Idée pour accompagner

Riz parfumé au lait de coco

Dans une casserole, mélanger le contenu de ½ boîte de lait de coco léger de 400 ml avec 125 ml (½ tasse) d'eau, 1 pincée de sel et 125 ml (½ tasse) de riz au jasmin rincé et égoutté. Porter à ébullition, puis couvrir et cuire de 20 à 25 minutes à feu doux-moyen en remuant de temps en temps, jusqu'à ce que le riz soit cuit.

Mijoté aux haricots noirs et tofu

Préparation : **15 minutes** • Cuisson : **18 minutes** • Quantité : **4 portions**

Tofu ferme ➊
coupé en cubes
1 bloc de 454 g

½ courge Butternut ➋
pelée et coupée en dés

2 carottes ➌
coupées en dés

Céleri ➍
2 branches coupées en dés

Haricots noirs ➎
rincés et égouttés
1 boîte de 540 ml

PRÉVOIR AUSSI :

- **1 oignon**
  haché
- **Bouillon de légumes**
  500 ml (2 tasses)

FACULTATIF :

- **Copeaux de noix de coco rôtis**
  125 ml (½ tasse)
- **Coriandre**
  60 ml (¼ de tasse) de feuilles

Préparation

Dans une casserole, chauffer un peu d'huile d'olive à feu moyen. Faire dorer le tofu et la courge de 4 à 5 minutes sur toutes les faces.

Ajouter les carottes, le céleri et l'oignon. Poursuivre la cuisson 2 minutes.

Ajouter les haricots noirs et le bouillon de légumes. Porter à ébullition, puis laisser mijoter de 12 à 18 minutes à feu doux, jusqu'à ce que les dés de courge soient tendres. Saler et poivrer.

Répartir le mijoté dans les bols. Si désiré, garnir de copeaux de noix de coco et de coriandre.

PAR PORTION	
Calories	457
Protéines	32 g
Matières grasses	17 g
Glucides	48 g
Fibres	13 g
Fer	7 mg
Calcium	208 mg
Sodium	454 mg

Option santé

La noix de coco

Vous hésitez à ajouter de la noix de coco à cette recette ? Cet aliment est pourtant un allié santé sans pareil ! La noix de coco fraîche, déshydratée et sous forme de lait est une bonne source de potassium, de fer, de cuivre, de magnésium, d'acide folique, de zinc et de phosphore. En versions fraîche et déshydratée, elle contient également des fibres. Cette recette n'en sera donc que bonifiée !

Fromage gourmand

Que seraient des pâtes, pizzas, gratins et autres plats savoureux sans un bon fromage ? En grains, à griller, crémeux ou râpé: ce produit laitier riche en protéines et en calcium se glisse dans nos mets végé de bien des façons pour y injecter un supplément de gourmandise !

20 coquilles géantes ①

Sauce arrabbiata ②
du commerce
500 ml (2 tasses)

Ricotta ③
1 contenant de 475 g

Mozzarella ④
râpée
500 ml (2 tasses)

Parmesan ⑤
râpé
125 ml (½ tasse)

PRÉVOIR AUSSI :
> **1 œuf**

FACULTATIF :
> **Épinards**
parés
500 ml (2 tasses)

> **Basilic**
haché
60 ml (¼ de tasse)

Coquilles farcies aux trois fromages

Préparation : **15 minutes** • Cuisson : **27 minutes** • Quantité : **4 portions**

Préparation

Préchauffer le four à 180 °C (350 °F).

Dans une casserole d'eau bouillante salée, cuire les coquilles *al dente*. Égoutter.

Pendant ce temps, réchauffer la sauce arrabbiata à feu doux-moyen dans une autre casserole.

Dans un bol, mélanger la ricotta avec 375 ml (1 ½ tasse) de mozzarella, le parmesan, l'œuf et, si désiré, les épinards et le basilic. Saler et poivrer. Farcir les coquilles avec la préparation.

Dans un plat de cuisson de 33 m x 23 cm (13 po x 9 po), verser les deux tiers de la sauce arrabbiata. Déposer les coquilles farcies dans le plat. Couvrir du reste de la sauce et du reste de la mozzarella. Couvrir le plat d'une feuille de papier d'aluminium. Cuire au four de 15 à 20 minutes.

Régler le four à la position « gril » (*broil*). Retirer la feuille de papier d'aluminium du plat et poursuivre la cuisson de 2 à 3 minutes, jusqu'à ce que le fromage soit doré.

PAR PORTION	
Calories	691
Protéines	40 g
Matières grasses	37 g
Glucides	51 g
Fibres	4 g
Fer	3 mg
Calcium	777 mg
Sodium	1 107 mg

Version maison

Sauce arrabbiata

Dans une casserole, chauffer 30 ml (2 c. à soupe) d'huile d'olive à feu moyen. Cuire 1 oignon haché et 10 ml (2 c. à thé) d'ail haché de 1 à 2 minutes. Ajouter le contenu de 1 boîte de sauce tomate de 398 ml, 3 tomates coupées en dés et 45 ml (3 c. à soupe) de basilic émincé. Porter à ébullition, puis couvrir et cuire à feu doux-moyen de 20 à 25 minutes.

Macaroni au fromage en grains

Préparation : **15 minutes** • Cuisson : **10 minutes** • Quantité : **4 portions**

Macaronis 1
750 ml (3 tasses)

3 demi-poivrons 2
de couleurs variées
coupés en cubes

1 oignon 3
haché

Sauce tomate aux herbes et épices 4
500 ml (2 tasses)

Fromage en grains 5
250 g (environ ½ lb)

PRÉVOIR AUSSI :
> **Oignons verts**
hachés
60 ml (¼ de tasse)

FACULTATIF :
> **Basilic**
Quelques feuilles

Préparation

Dans une casserole d'eau bouillante salée, cuire les pâtes *al dente*. Égoutter.

Pendant ce temps, chauffer un peu d'huile d'olive à feu moyen dans une autre casserole. Cuire les poivrons et l'oignon de 2 à 3 minutes.

Ajouter la sauce tomate et porter à ébullition.

Incorporer les pâtes.

Répartir le macaroni dans les assiettes. Garnir chaque portion de fromage en grains, d'oignons verts et, si désiré, de feuilles de basilic.

PAR PORTION	
Calories	664
Protéines	29 g
Matières grasses	22 g
Glucides	83 g
Fibres	5 g
Fer	2 mg
Calcium	517 mg
Sodium	906 mg

Pour varier

Intégrez des légumes !

Cette recette est parfaite pour vous débarrasser des légumes oubliés dans le frigo ! Vous n'avez qu'à les parer et à les ajouter à la recette en même temps que les poivrons. Flétris ou pas, ils se fondront à merveille dans ce plat de pâtes savoureux !

Quesadillas aux épinards et tofu

Préparation : **15 minutes** • Cuisson : **7 minutes** • Quantité : **4 portions**

Tofu ferme ①
râpé
150 g (⅓ de lb)

Bébés épinards ②
1 contenant de 142 g

Fromage de chèvre crémeux ③
émietté
100 g (3 ½ oz)

Tortillas ④
8 petites

Mozzarella ⑤
râpée
500 ml (2 tasses)

PRÉVOIR AUSSI :
> **Tomates séchées**
hachées
60 ml (¼ de tasse)

Préparation

Dans une grande poêle, chauffer un peu d'huile d'olive à feu moyen. Cuire le tofu de 2 à 3 minutes.

Ajouter les bébés épinards et cuire 1 minute en remuant.

Hors du feu, ajouter le fromage de chèvre et les tomates séchées. Saler, poivrer et remuer.

Garnir la moitié de chacune des tortillas de préparation aux épinards. Couvrir de mozzarella. Replier l'autre moitié de chacune des tortillas sur la garniture.

Nettoyer la poêle, puis la chauffer à feu moyen. Cuire les quesadillas de 1 à 2 minutes de chaque côté.

PAR PORTION	
Calories	557
Protéines	31 g
Matières grasses	32 g
Glucides	36 g
Fibres	3 g
Fer	3 mg
Calcium	427 mg
Sodium	1 183 mg

Idée pour accompagner

Crème sure tex-mex à la moutarde

Mélanger 180 ml (¾ de tasse) de crème sure avec 15 ml (1 c. à soupe) de miel, 15 ml (1 c. à soupe) de moutarde à l'ancienne, 15 ml (1 c. à soupe) d'assaisonnements tex-mex et 30 ml (2 c. à soupe) de coriandre hachée.

Tofu ferme ①
coupé en cubes
1 bloc de 454 g

Mélange de légumes surgelés de style San Francisco ②
750 ml (3 tasses)

Sauce tomate à l'ail rôti ③
500 ml (2 tasses)

Assaisonnements italiens ④
15 ml (1 c. à soupe)

Mélange de fromages italiens râpés ⑤
250 ml (1 tasse)

Gratin de légumes à l'italienne

Préparation : **15 minutes** • Cuisson : **20 minutes** • Quantité : **4 portions**

Préparation

Préchauffer le four à 205 °C (400 °F).

Dans une poêle, chauffer un peu d'huile d'olive à feu moyen. Faire dorer les cubes de tofu de 4 à 5 minutes sur toutes les faces.

Ajouter le mélange de légumes. Poursuivre la cuisson de 2 à 3 minutes.

Ajouter la sauce tomate et les assaisonnements italiens. Saler, poivrer et remuer.

Répartir la préparation aux légumes et tofu dans un plat de cuisson ou dans quatre cassolettes. Parsemer de fromage. Cuire au four de 12 à 15 minutes.

Régler le four à la position « gril » (*broil*) et poursuivre la cuisson de 2 à 3 minutes, jusqu'à ce que le fromage soit doré.

PAR PORTION	
Calories	369
Protéines	31 g
Matières grasses	19 g
Glucides	20 g
Fibres	8 g
Fer	5 mg
Calcium	334 mg
Sodium	1 022 mg

À découvrir

Les assaisonnements italiens

Composés, entre autres, de persil séché, de basilic séché, d'origan séché et de poudre d'ail, les assaisonnements italiens sont un *must* côté épices. En effet, ils s'agencent à merveille avec la plupart des ingrédients et ajoutent une touche de saveur aux recettes en moins de deux !

Risotto aux champignons

Préparation : **15 minutes** • Cuisson : **20 minutes** • Quantité : **4 portions**

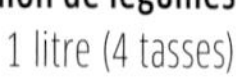

Bouillon de légumes 1
1 litre (4 tasses)

Riz arborio 2
375 ml (1 ½ tasse)

Vin blanc 3
125 ml (½ tasse)

Mélange de champignons sauvages 4
émincés
500 ml (2 tasses)

Parmesan 5
râpé
180 ml (¾ de tasse)

PRÉVOIR AUSSI :

- **Échalotes sèches (françaises)**
  hachées
  60 ml (¼ de tasse)
- **Beurre**
  30 ml (2 c. à soupe)

FACULTATIF :

- **Oignon vert**
  haché
  30 ml (2 c. à soupe)
- **Basilic**
  quelques feuilles

Préparation

Dans une casserole, porter le bouillon de légumes à ébullition. Réduire l'intensité du feu et maintenir le bouillon frémissant.

Dans une autre casserole, chauffer un peu d'huile d'olive à feu moyen. Cuire les échalotes et le riz de 30 secondes à 1 minute en remuant afin d'enrober les grains d'huile.

Ajouter le vin blanc dans la deuxième casserole et laisser mijoter jusqu'à ce que le liquide soit presque complètement absorbé.

Verser environ 250 ml (1 tasse) de bouillon chaud et poursuivre la cuisson à feu moyen en remuant sans arrêt, jusqu'à ce que le liquide soit complètement absorbé. Répéter cette opération en versant 250 ml (1 tasse) de bouillon à la fois et en remuant constamment jusqu'à ce qu'il n'y ait plus de bouillon chaud et que le riz soit crémeux.

Pendant ce temps, faire fondre le beurre à feu moyen-élevé dans une poêle. Cuire les champignons de 4 à 5 minutes.

Ajouter les champignons et le parmesan dans la casserole contenant le risotto. Saler, poivrer et remuer.

Répartir le risotto dans les assiettes. Si désiré, garnir d'oignon vert et de feuilles de basilic.

PAR PORTION	
Calories	498
Protéines	15 g
Matières grasses	15 g
Glucides	70 g
Fibres	3 g
Fer	2 mg
Calcium	182 mg
Sodium	1 122 mg

Bon à savoir

Le champignon n'est pas un légume

Contrairement à la croyance populaire, le champignon n'est pas un légume ! Il appartient en fait à la famille des mycètes. Les variétés comestibles les plus populaires sont le champignon de Paris, le portobello, le cremini, le shiitake, le pleurote et l'enoki. Résistant bien aux hivers rigoureux, le champignon est cultivé au Canada à l'année. Une fois la cueillette effectuée, il se conserve une semaine au réfrigérateur dans un sac de papier brun.

Pizza aux légumes et fromage cendré

Préparation : **15 minutes** • Cuisson : **20 minutes** • Quantité : **4 portions (2 pizzas de 25 cm x 20 cm - 10 po x 8 po)**

Pâte à pizza 1
du commerce
600 g (environ 1 ⅓ lb)

Sauce à pizza 2
250 ml (1 tasse)

12 tomates cerises 3
de couleurs variées
coupées en deux

Fromage de chèvre cendré 4
100 g (3 ½ oz)

Mozzarella 5
râpée
250 ml (1 tasse)

PRÉVOIR AUSSI :

- **3 demi-poivrons** de couleurs variées émincés
- **1 petit oignon rouge** émincé

FACULTATIF :

- **Champignons** émincés 1 contenant de 227 g
- **Noix de Grenoble** hachées 125 ml (½ tasse)
- **Origan** 15 ml (1 c. à soupe) de feuilles

Préparation

Préchauffer le four à 205 °C (400 °F).

Diviser la pâte à pizza en deux. Sur une surface farinée, étirer chacune des boules de pâte en un rectangle de 25 cm x 20 cm (10 po x 8 po). Déposer sur deux plaques de cuisson tapissées de papier parchemin.

Napper les pâtes de sauce à pizza. Garnir de tomates cerises, de mozzarella, de poivrons, d'oignon rouge et, si désiré, de champignons, de noix de Grenoble et d'origan.

Cuire au four de 20 à 25 minutes, jusqu'à ce que la pâte soit cuite et que le fromage soit doré.

PAR PORTION	
Calories	749
Protéines	30 g
Matières grasses	31 g
Glucides	85 g
Fibres	5 g
Fer	6 mg
Calcium	266 mg
Sodium	1 043 mg

Version maison

Pâte à pizza

Dissoudre 10 ml (2 c. à thé) de sucre dans 250 ml (1 tasse) d'eau tiède. Incorporer le contenu de 1 sachet de levure sèche instantanée à levée rapide de 8 g. Laisser reposer 5 minutes, jusqu'à ce que des bulles se forment. Ajouter 30 ml (2 c. à soupe) d'huile d'olive. Dans le contenant du robot culinaire, mélanger 500 ml (2 tasses) de farine tout usage avec 5 ml (1 c. à thé) de sel. À vitesse moyenne, incorporer graduellement la préparation liquide. Mélanger 30 secondes, jusqu'à ce que la pâte décolle des parois du contenant et qu'elle forme une boule élastique. Sur une surface farinée, pétrir la pâte de 1 à 2 minutes jusqu'à l'obtention d'une boule lisse. Déposer la pâte dans un bol badigeonné d'huile. Couvrir d'une pellicule plastique. Laisser gonfler à température ambiante de 1 à 2 heures, jusqu'à ce que la pâte ait doublé de volume. Une fois la pâte levée, y enfoncer le poing pour la faire dégonfler. Diviser la pâte en huit boules. Étirer chacune des boules de pâte en un cercle d'environ 10 cm (4 po). Laisser reposer 5 minutes. La pâte restante non cuite peut être congelée jusqu'à 1 mois dans un sac hermétique.

Fromage à griller 1
(de type Doré-mi)
coupé en tranches
de 2 cm (¾ de po)
225 g (½ lb)

Gingembre 2
râpé
15 ml (1 c. à soupe)

Mélange de curcuma, paprika et cardamome 3
5 ml (1 c. à thé) de
chaque épice

3 noix de cajou 4

Pois verts 5
250 ml (1 tasse)

Cari de fromage à griller et pois verts

Préparation : **15 minutes** • Cuisson : **20 minutes** • Quantité : **4 portions**

Préparation

Dans une poêle, chauffer un peu d'huile d'olive à feu élevé. Faire dorer les tranches de fromage à griller de 1 à 2 minutes de chaque côté. Égoutter sur du papier absorbant.

Dans la même poêle, chauffer de nouveau un peu d'huile d'olive à feu moyen-élevé. Cuire l'oignon 5 minutes, jusqu'à tendreté.

Ajouter le gingembre, les épices, les noix de cajou et, si désiré, la tomate. Poursuivre la cuisson 5 minutes. Saler et poivrer.

Transférer la préparation dans un bol. Ajouter 30 ml (2 c. à soupe) de lait. À l'aide du mélangeur-plongeur, réduire la préparation en purée lisse.

Dans la même poêle, cuire les pois verts avec 30 ml (2 c. à soupe) d'eau 3 minutes.

Ajouter la pâte épicée et le reste du lait. Remuer et cuire 15 minutes à feu doux.

Ajouter les tranches de fromage grillées et remuer pour bien les enrober de sauce.

Si désiré, garnir de coriandre au moment de servir.

PAR PORTION	
Calories	318
Protéines	18 g
Matières grasses	21 g
Glucides	17 g
Fibres	3 g
Fer	1 mg
Calcium	230 mg
Sodium	1 028 mg

À découvrir

Le fromage à griller

Certains fromages ne fondent pas complètement à la chaleur. C'est le cas des fromages à griller (halloumi), qui portent bien leur nom ! Une fois grillés dans la poêle ou sur le barbecue, ces fromages polyvalents s'intègrent dans une foule de plats (salades, sandwichs, brochettes, etc.) et se dégustent aussi bien chauds que froids. Comme ils sont saumurés, donc très salés, il convient de les laisser tremper quelques heures dans l'eau froide avant de les faire griller.

PRÉVOIR AUSSI :

- **1 oignon** haché
- **Lait 1 %** 250 ml (1 tasse)

FACULTATIF :

- **1 tomate italienne** coupée en petits dés
- **Coriandre** quelques feuilles

Tomates séchées ①
coupées en dés
80 ml (⅓ de tasse)

Orzo ②
375 ml (1 ½ tasse)

12 asperges ③
émincées

Lait évaporé ④
½ boîte de 354 ml

Parmesan ⑤
râpé
125 ml (½ tasse)

PRÉVOIR AUSSI :

- **1 oignon**
  haché
- **Bouillon de légumes**
  375 ml (1 ½ tasse)

FACULTATIF :

- **Ail**
  haché
  15 ml (1 c. à soupe)
- **Basilic**
  haché
  30 ml (2 c. à soupe)

Orzo crémeux aux asperges et tomates séchées

Préparation : **15 minutes** • Cuisson : **14 minutes** • Quantité : **4 portions**

PAR PORTION	
Calories	426
Protéines	18 g
Matières grasses	11 g
Glucides	65 g
Fibres	4 g
Fer	2 mg
Calcium	288 mg
Sodium	574 mg

Préparation

Dans une casserole, chauffer un peu d'huile d'olive à feu moyen. Cuire les tomates séchées, l'oignon et, si désiré, l'ail 1 minute.

Ajouter l'orzo et le bouillon. Saler, poivrer et remuer. Couvrir et cuire 10 minutes en remuant fréquemment.

Ajouter les asperges et le lait évaporé. Remuer, puis prolonger la cuisson de 4 à 6 minutes, jusqu'à ce que l'orzo soit *al dente*.

Ajouter le parmesan et, si désiré, le basilic. Remuer.

Astuce 5•15

Parer les asperges

Avant de cuisiner les asperges, il convient d'enlever leur extrémité fibreuse. Pour ce faire, tenez fermement l'asperge d'une main, puis pliez la base avec l'autre main. La cassure se fera d'elle-même au bon endroit. Les asperges fines n'ont pas besoin d'être épluchées, mais les grosses asperges gagnent en tendreté lorsqu'elles sont pelées à l'aide d'un économe. Pour ce faire, posez l'asperge à plat sur une planche, puis pelez la tige de la pointe vers la base.

Pizza margherita sur baguette

Préparation : **10 minutes** • Cuisson : **5 minutes** • Quantité : **4 portions**

1 baguette de pain 1

Sauce tomate 2
125 ml (½ tasse)

3 tomates 3
coupées en tranches

Mozzarella fraîche 4
coupée en 16 tranches
2 boules de 250 g chacune

Parmesan 5
râpé
60 ml (¼ de tasse)

PRÉVOIR AUSSI :

> **Huile d'olive**
30 ml (2 c. à soupe)

> **Basilic**
20 feuilles

PAR PORTION	
Calories	639
Protéines	31 g
Matières grasses	34 g
Glucides	50 g
Fibres	4 g
Fer	3 mg
Calcium	625 mg
Sodium	911 mg

Préparation

Trancher la baguette en deux sur la longueur, puis couper chaque demi-baguette en deux. Déposer sur une plaque de cuisson tapissée de papier parchemin.

Arroser le pain d'huile d'olive. Badigeonner de sauce tomate.

Répartir les tranches de tomates, les tranches de mozzarella et les feuilles de basilic sur les morceaux de pain en les faisant alterner et se chevaucher. Poivrer, puis parsemer de parmesan.

Cuire au four à la position « gril » (*broil*) 5 minutes, jusqu'à ce que le fromage fonde.

À découvrir

La pizza margherita

La pizza margherita se déguste un peu partout sur la planète. Elle a été nommée ainsi en l'honneur de la reine Marguerite, épouse du roi de Savoie Umberto 1er. Cette dernière a été séduite par cette pizza typiquement italienne, ce qui inspira le nom de son créateur !

2 courgettes ①
émincées
1 jaune et 1 verte

1 poivron rouge ②
émincé

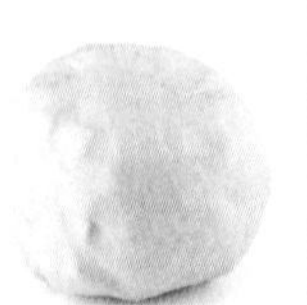

Pâte à pizza ③
1 boule de 450 g (1 lb)

Fromage fouetté à la crème ④
150 g (⅓ de lb)

Mozzarella ⑤
râpée
375 ml (1 ½ tasse)

Pizza aux poivrons et courgettes

Préparation : **15 minutes** • Cuisson : **18 minutes** • Quantité : **4 portions (2 pizzas de 20 cm – 8 po chacune)**

Préparation

Préchauffer le four à 205 °C (400 °F).

Dans une poêle, chauffer un peu d'huile d'olive à feu moyen. Cuire les courgettes, le poivron et l'oignon de 2 à 3 minutes. Saler et poivrer.

Séparer la boule de pâte à pizza en deux. Sur une surface farinée, étirer chacune des boules de pâte en un cercle de 20 cm (8 po) de diamètre. Déposer sur une ou deux plaques de cuisson huilées ou plaques à pizza.

Couvrir les cercles de pâte de fromage fouetté à la crème. Garnir de légumes et de mozzarella. Cuire au four de 18 à 20 minutes, jusqu'à ce que le fromage gratine.

Si désiré, parsemer de basilic à la sortie du four.

PAR PORTION	
Calories	623
Protéines	23 g
Matières grasses	31 g
Glucides	63 g
Fibres	3 g
Fer	4 mg
Calcium	300 mg
Sodium	855 mg

Idée pour accompagner

Salade de tomates colorées

Couper 24 tomates cerises de couleurs variées en deux. Dans un saladier, mélanger 45 ml (3 c. à soupe) d'huile d'olive avec 15 ml (1 c. à soupe) de jus de citron, 30 ml (2 c. à soupe) de basilic haché et 45 ml (3 c. à soupe) de noix de cajou hachées. Saler et poivrer. Ajouter les tomates cerises et remuer.

PRÉVOIR AUSSI :
> **1 oignon**
émincé

FACULTATIF :
> **Basilic**
quelques feuilles

Paninis aux poivrons grillés

Préparation : **10 minutes** • Cuisson : **6 minutes** • Quantité : **4 portions**

2 courgettes vertes ①
émincées sur la longueur

4 pains ciabatta ②

Mozzarella ③
8 tranches

Poivrons rouges grillés ④
égouttés et émincés
250 ml (1 tasse)

Bébés épinards ⑤
250 ml (1 tasse)

PRÉVOIR AUSSI :
> **Pesto de basilic**
30 ml (2 c. à soupe)

Préparation

Huiler un gril à panini ou une poêle striée et préchauffer à puissance moyenne ou à feu moyen.

Cuire les tranches de courgettes de 2 à 3 minutes sur la plaque du gril ou dans la poêle.

Trancher les ciabattas en deux sur l'épaisseur. Garnir de pesto, de mozzarella, de courgettes grillées, de poivrons grillés et de bébés épinards. Fermer les ciabattas.

Déposer les paninis sur la plaque du gril à panini ou dans la poêle. Cuire 2 minutes de chaque côté, jusqu'à ce que le fromage soit fondu et que le pain soit doré.

PAR PORTION	
Calories	340
Protéines	16 g
Matières grasses	18 g
Glucides	30 g
Fibres	2 g
Fer	1 mg
Calcium	478 mg
Sodium	693 mg

Idée pour accompagner

Salade de chou de Savoie et endives, sauce crémeuse

Dans un saladier, mélanger 60 ml (¼ de tasse) de mayonnaise avec 60 ml (¼ de tasse) de yogourt grec nature, 15 ml (1 c. à soupe) de moutarde à l'ancienne et 45 ml (3 c. à soupe) de persil plat haché. Ajouter 3 endives émincées, ¼ de chou de Savoie émincé et 1 pomme coupée en dés. Saler, poivrer et remuer.

Salade de légumes et fromage grillés

Préparation : **15 minutes** • Cuisson : **12 minutes** • Quantité : **4 portions**

2 petites courgettes ①

3 poivrons ②
de couleurs variées

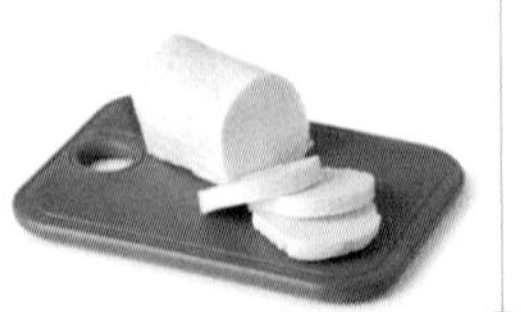

Fromage halloumi ③
(fromage à griller de type Doré-mi)
215 g (environ ½ lb)

18 tomates cerises ④
de couleurs variées

Vinaigrette miel et Dijon ⑤
du commerce
250 ml (1 tasse)

Préparation

Préchauffer le four à 205 °C (400 °F).

Couper les courgettes, les poivrons, le fromage et, si désiré, l'oignon rouge en longues tranches.

Dans un saladier, mélanger les tranches de légumes avec les tomates cerises et la moitié de la vinaigrette.

Sur une plaque de cuisson tapissée de papier parchemin, déposer les légumes et les tomates cerises. Cuire au four 8 minutes.

Régler le four à la position « gril » (*broil*) et prolonger la cuisson de 2 à 3 minutes.

Pendant ce temps, chauffer une poêle antiadhésive à feu moyen. Faire griller les tranches de fromage de 1 à 2 minutes de chaque côté.

À la sortie du four, napper les légumes avec le reste de la vinaigrette. Si désiré, parsemer de noix de pin. Remuer.

Répartir les légumes dans les assiettes en les faisant alterner avec les tranches de fromage.

PAR PORTION	
Calories	524
Protéines	17 g
Matières grasses	43 g
Glucides	26 g
Fibres	4 g
Fer	1 mg
Calcium	156 mg
Sodium	1 403 mg

Version maison

Vinaigrette miel et Dijon

Mélanger 125 ml (½ tasse) d'huile d'olive avec 30 ml (2 c. à soupe) de vinaigre balsamique blanc, 30 ml (2 c. à soupe) de basilic haché, 30 ml (2 c. à soupe) de persil haché, 30 ml (2 c. à soupe) de sirop d'érable, 15 ml (1 c. à soupe) d'origan haché, 10 ml (2 c. à thé) de moutarde de Dijon, 10 ml (2 c. à thé) de moutarde à l'ancienne et 5 ml (1 c. à thé) d'ail haché. Saler et poivrer.

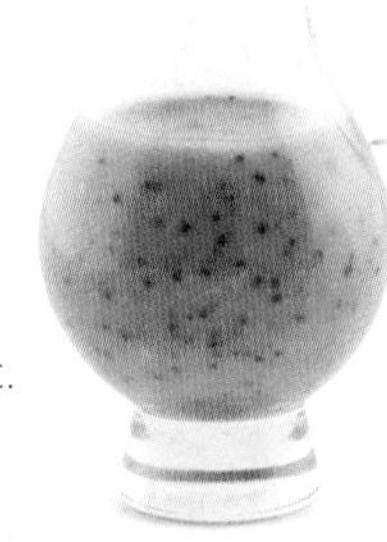

FACULTATIF :

- **1 oignon rouge**
- **Noix de pin**
  45 ml (3 c. à soupe)

Rigatonis aubergine et ricotta

Préparation : **15 minutes** • Cuisson : **10 minutes** • Quantité : **4 portions**

Rigatonis 1
1,125 litre (4 ½ tasses)

1 petite aubergine 2
coupée en cubes

Sauce tomate 3
625 ml (2 ½ tasses)

Ricotta 4
250 ml (1 tasse)

Basilic 5
haché
30 ml (2 c. à soupe)

PRÉVOIR AUSSI :

> **Huile d'olive**
45 ml (3 c. à soupe)

> **Parmesan**
râpé
45 ml (3 c. à soupe)

FACULTATIF :

> **Citron**
15 ml (1 c. à soupe)
de zestes

Préparation

Dans une casserole d'eau bouillante salée, cuire les pâtes *al dente*. Égoutter.

Pendant ce temps, chauffer l'huile à feu moyen dans une autre casserole. Cuire l'aubergine de 3 à 4 minutes. Poivrer.

Verser la sauce tomate. Couvrir et laisser mijoter de 6 à 8 minutes à feu doux-moyen.

Dans un bol, mélanger la ricotta avec le basilic, le parmesan et, si désiré, les zestes.

Ajouter les pâtes dans la sauce et remuer.

Répartir les pâtes dans les assiettes. Garnir chaque portion de préparation à la ricotta parfumée.

PAR PORTION	
Calories	637
Protéines	24 g
Matières grasses	21 g
Glucides	90 g
Fibres	11 g
Fer	6 mg
Calcium	217 mg
Sodium	769 mg

Pour varier

Faites gratiner ces rigatonis !

Envie de donner une touche décadente à cette recette végé ? C'est facile! Suivez les trois premières étapes de la recette ci-dessus, puis ajoutez les rigatonis dans la sauce. Déposez la préparation dans un plat de cuisson, puis garnissez le tout de mozzarella ou de cheddar râpé. Quelques minutes au four à la position « gril » (*broil*) et vous vous retrouverez avec un savoureux gratin qui plaira à tous !

Gratin de courgettes et tomates

Préparation : **15 minutes** • Cuisson : **34 minutes** • Quantité : **de 4 à 6 portions**

4 courgettes
coupées en rondelles

Lait 2 %
500 ml (2 tasses)

Cheddar
râpé
250 ml (1 tasse)

3 tomates
épépinées
et coupées en dés

Mozzarella
râpée
250 ml (1 tasse)

PRÉVOIR AUSSI :
- **Beurre** 60 ml (¼ de tasse)
- **Farine** 60 ml (¼ de tasse)

FACULTATIF :
- **Muscade** 2,5 ml (½ c. à thé)

Préparation

1. Préchauffer le four à 190 °C (375 °F).

   Dans une poêle, chauffer un peu d'huile d'olive à feu moyen. Cuire les courgettes de 3 à 4 minutes. Retirer du feu et réserver.

2. Dans une casserole, faire fondre le beurre à feu moyen. Ajouter la farine et cuire 1 minute en remuant, sans laisser colorer la farine. Verser le lait et porter à ébullition en fouettant constamment. Saler et poivrer.

3. Incorporer le cheddar et remuer jusqu'à ce qu'il soit fondu. Ajouter les courgettes, les tomates et, si désiré, la muscade.

4. Transférer la préparation dans un plat de cuisson de 20 cm (8 po). Parsemer de mozzarella.

5. Cuire au four 30 minutes.

PAR PORTION	
Calories	355
Protéines	15 g
Matières grasses	26 g
Glucides	16 g
Fibres	3 g
Fer	1 mg
Calcium	384 mg
Sodium	385 mg

Option santé

La courgette

Composée à plus de 90 % d'eau, donc très peu calorique, la courgette est légère et digeste. Elle renferme plusieurs vitamines et minéraux : potassium, magnésium, phosphore, vitamines C et A, acide folique…
Ce légume contient également une bonne quantité de lutéine, un composé antioxydant qui joue un rôle dans la prévention de certaines maladies oculaires.

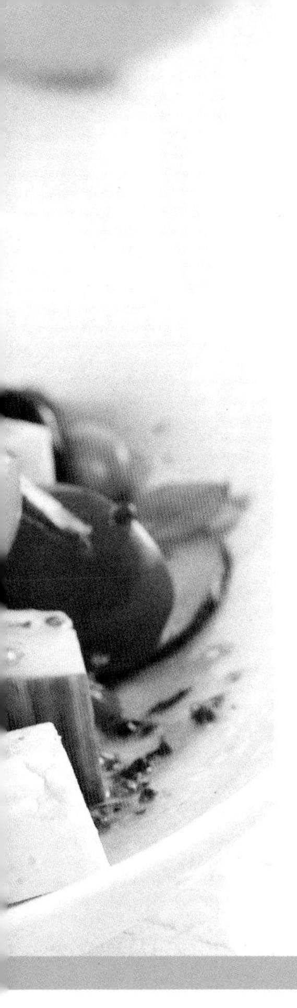

Craquants edamames

À la recherche d'idées inattendues qui feront craquer toute la tablée? Adoptez les edamames! Plus protéinées que la plupart de leurs cousines légumineuses, mais tout aussi polyvalentes, ces fèves de soya vertes ajoutent couleurs et croquant à ces recettes végétariennes fort simples.

Salade de riz, pommes, edamames et gouda

Préparation : **15 minutes** • Cuisson : **5 minutes** • Quantité : **4 portions**

1 **Edamames décortiqués surgelés**
250 ml (1 tasse)

2 **Riz blanc à grains longs**
cuit
750 ml (3 tasses)

3 **2 pommes**
coupées en dés

4 **Gouda**
coupé en dés
200 g (environ ½ lb)

5 **Vinaigrette érable et Dijon**
80 ml (⅓ de tasse)

PRÉVOIR AUSSI :

- **Céleri**
  2 branches hachées
- **½ petit oignon rouge**
  haché

FACULTATIF :

- **Persil**
  haché
  15 ml (1 c. à soupe)

Préparation

Dans une casserole d'eau bouillante salée, cuire les edamames 5 minutes. Refroidir sous l'eau froide et égoutter.

Dans un saladier, mélanger les edamames avec le riz cuit, les pommes, le gouda, la vinaigrette, le céleri, l'oignon rouge et, si désiré, le persil. Saler et poivrer.

PAR PORTION	
Calories	528
Protéines	21 g
Matières grasses	25 g
Glucides	58 g
Fibres	5 g
Fer	2 mg
Calcium	407 mg
Sodium	572 mg

Secret de chef

Quelle variété de pomme choisir ?

Toutes les pommes ne se valent pas en cuisine ! Pour la cuisson au four, il est préférable de choisir une pomme qui conserve sa forme, comme la Cortland, la Lobo ou la Granny Smith. Pour les compotes, on opte pour les pommes dont la chair ramollit facilement à la chaleur, comme la McIntosh. Et pour les salades, on préfère la Cortland ou la Délicieuse rouge, car sa chair résiste bien à l'oxydation et ne brunit donc pas rapidement.

Edamames décortiqués surgelés (1)
375 ml (1 ½ tasse)

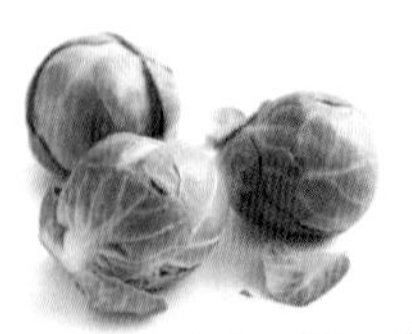

Choux de Bruxelles (2)
coupés en deux
500 ml (2 tasses)

Vinaigrette balsamique (3)
125 ml (½ tasse)

3 ½ poivrons (4)
de couleurs variées
coupés en morceaux

1 brocoli (5)
coupé en petits bouquets

PRÉVOIR AUSSI :

- **1 petit oignon rouge** coupé en quartiers
- **Thym** haché 5 ml (1 c. à thé)

Plaque de légumes et edamames rôtis

Préparation : **10 minutes** • Cuisson : **20 minutes** • Quantité : **4 portions**

Préparation

Préchauffer le four à 205 °C (400 °F).

Dans une casserole d'eau bouillante salée, cuire les edamames 5 minutes. Égoutter.

Dans un bol, mélanger les choux de Bruxelles avec les edamames, la vinaigrette, les poivrons, le brocoli, l'oignon rouge et le thym. Saler et poivrer.

Déposer la préparation aux légumes sur une plaque de cuisson tapissée de papier parchemin. Cuire au four de 15 à 20 minutes en remuant de temps en temps, jusqu'à ce que les légumes soient tendres et rôtis.

PAR PORTION	
Calories	240
Protéines	10 g
Matières grasses	12 g
Glucides	26 g
Fibres	7 g
Fer	3 mg
Calcium	85 mg
Sodium	328 mg

Idée pour accompagner

Pennes au pesto

Dans une casserole d'eau bouillante salée, cuire le contenu de 1 boîte de pennes de 340 g *al dente*. Égoutter. Dans une autre casserole, faire fondre 15 ml (1 c. à soupe) de beurre à feu moyen. Cuire 60 ml (¼ de tasse) d'échalotes sèches (françaises) hachées avec 15 ml (1 c. à soupe) d'ail haché de 1 à 2 minutes. Incorporer 250 ml (1 tasse) de mélange laitier pour cuisson 5 % et 30 ml (2 c. à soupe) de pesto de basilic. Porter à ébullition. Ajouter les pennes. Saler et poivrer. Réchauffer de 1 à 2 minutes en remuant.

Accompagnez votre repas de ces pennes au pesto (+ 13 g de protéines par portion !) pour obtenir un repas complet !

Poke bowl aux edamames

Préparation : **15 minutes** • Cuisson : **5 minutes** • Quantité : **4 portions**

1 **Edamames décortiqués surgelés**
430 ml (1 ¾ tasse)

2 **Riz blanc à grains longs**
cuit
750 ml (3 tasses)

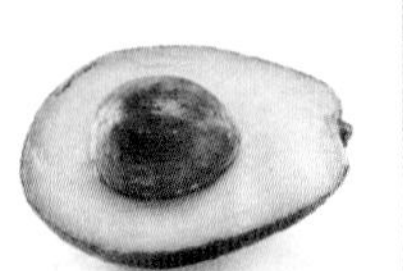

3 **2 avocats**
tranchés

4 **½ concombre**
coupé en rondelles minces

5 **Vinaigrette au sésame**
160 ml (⅔ de tasse)

PRÉVOIR AUSSI :

- **1 carotte**
taillée en rubans
- **Graines de sésame rôties**
30 ml (2 c. à soupe)

FACULTATIF :

- **Coriandre**
30 ml (2 c. à soupe) de feuilles

Préparation

Dans une casserole d'eau bouillante salée, cuire les edamames 5 minutes. Refroidir sous l'eau froide et égoutter.

Répartir le riz cuit dans quatre bols. Répartir séparément les edamames, les tranches d'avocats, les rubans de carotte et les rondelles de concombre dans les bols. Napper de vinaigrette. Garnir de graines de sésame rôties et, si désiré, de feuilles de coriandre.

PAR PORTION	
Calories	566
Protéines	15 g
Matières grasses	29 g
Glucides	66 g
Fibres	12 g
Fer	3 mg
Calcium	87 mg
Sodium	308 mg

À découvrir

Le *poke bowl*

Tout droit débarqué d'Hawaï, le *poke bowl* est un mets plutôt original ! À mi-chemin entre le sushi et la salade, il s'agit d'un plat nutritif facile à faire soi-même. Popularisé par les Américains, il a conquis la planète des *foodies* en quête de plats santé. Ses atouts ? On peut personnaliser le contenu de notre bol en ajoutant protéines, légumes et aromates selon nos goûts. Résultat : le *poke* se démarque par de fins alliages de saveurs, de couleurs et de textures.

Salade grecque feta et edamames

Préparation : **15 minutes** • Cuisson : **5 minutes** • Quantité : **4 portions**

Edamames décortiqués surgelés ①
500 ml (2 tasses)

Tomates cerises ②
de couleurs variées
coupées en deux
1 paquet de 320 g

Feta ③
coupée en dés
1 contenant de 200 g

Vinaigrette grecque ④
du commerce
125 ml (½ tasse)

24 olives Kalamata ⑤

PRÉVOIR AUSSI :

- **1 mini-concombre** coupé en cubes
- **1 petit oignon rouge** coupé en quartiers fins

FACULTATIF :

- **Origan** 45 ml (3 c. à soupe) de petites feuilles

Préparation

Dans une casserole d'eau bouillante salée, cuire les edamames 5 minutes. Rincer sous l'eau très froide et égoutter.

Dans un saladier, mélanger le concombre avec les tomates cerises, l'oignon rouge, les edamames, la feta, la vinaigrette, les olives et, si désiré, l'origan. Saler et poivrer.

PAR PORTION	
Calories	389
Protéines	18 g
Matières grasses	28 g
Glucides	22 g
Fibres	6 g
Fer	3 mg
Calcium	336 mg
Sodium	1 387 mg

Version maison

Vinaigrette grecque

Mélanger 80 ml (⅓ de tasse) d'huile d'olive avec 45 ml (3 c. à soupe) de persil haché, 30 ml (2 c. à soupe) de jus de citron, 30 ml (2 c. à soupe) de menthe hachée, 15 ml (1 c. à soupe) de moutarde à l'ancienne et 1,25 ml (¼ de c. à thé) de coriandre moulue. Saler et poivrer.

Nouilles chinoises ①
350 g (environ ¾ de lb)

Edamames décortiqués surgelés ②
375 ml (1 ½ tasse)

Chou rouge ③
émincé
375 ml (1 ½ tasse)

Sauce aux arachides ④
du commerce
160 ml (⅔ de tasse)

Arachides ⑤
hachées
80 ml (⅓ de tasse)

PRÉVOIR AUSSI :
> **Lime**
20 ml (4 c. à thé) de jus

Nouilles aux edamames à la thaïe

Préparation : **15 minutes** • Cuisson : **12 minutes** • Quantité : **4 portions**

Préparation

Dans une casserole d'eau bouillante, cuire les nouilles *al dente*. Égoutter.

Dans une autre casserole d'eau bouillante salée, cuire les edamames 5 minutes. Égoutter.

Dans la même casserole, chauffer un peu d'huile de canola à feu moyen. Cuire le chou rouge de 2 à 3 minutes.

Ajouter la sauce aux arachides et le jus de lime. Porter à ébullition.

Ajouter les nouilles et les edamames. Saler, poivrer et remuer. Si la sauce est trop épaisse, ajouter un peu d'eau.

Répartir les nouilles dans les assiettes. Garnir chaque portion d'arachides et, si désiré, de coriandre.

PAR PORTION	
Calories	628
Protéines	27 g
Matières grasses	21 g
Glucides	88 g
Fibres	9 g
Fer	2 mg
Calcium	71 mg
Sodium	780 mg

Version maison

Sauce épicée aux arachides

Dans une casserole, mélanger 250 ml (1 tasse) de lait de coco avec 60 ml (¼ de tasse) de beurre d'arachide, 30 ml (2 c. à soupe) de sauce soya, 45 ml (3 c. à soupe) de jus de lime et 1 piment thaï haché. Porter à ébullition, puis retirer du feu. Donne environ 385 ml (environ 1 ½ tasse) de sauce.

FACULTATIF :
> **Coriandre**
60 ml (¼ de tasse) de feuilles

Edamames décortiqués surgelés (1)
250 ml (1 tasse)

Pois chiches (2)
rincés et égouttés
1 boîte de 540 ml

Tofu extra-ferme (3)
coupé en cubes
1 bloc de 350 g

Chapelure assaisonnée à l'italienne (4)
180 ml (¾ de tasse)

Parmesan (5)
râpé
125 ml (½ tasse)

PRÉVOIR AUSSI :
- **2 œufs**
- **Cari**
5 ml (1 c. à thé)

Galettes de tofu, edamames et pois chiches

Préparation : **15 minutes** • Cuisson : **13 minutes** • Quantité : **4 portions (12 galettes)**

Préparation

Dans une casserole d'eau bouillante salée, cuire les edamames 5 minutes. Égoutter.

Dans le contenant du robot culinaire, déposer les pois chiches et le tofu. Saler et poivrer. Mélanger jusqu'à l'obtention d'une pâte.

Ajouter la chapelure, le parmesan, les œufs, les edamames et le cari dans le contenant du robot culinaire. Mélanger quelques secondes.

Façonner douze galettes avec la préparation.

Dans une poêle, chauffer un peu d'huile d'olive à feu doux-moyen. Cuire les galettes de 8 à 10 minutes en les retournant plusieurs fois, jusqu'à ce qu'elles soient chaudes et dorées.

PAR PORTION	
3 galettes	
Calories	441
Protéines	28 g
Matières grasses	19 g
Glucides	44 g
Fibres	8 g
Fer	6 mg
Calcium	408 mg
Sodium	594 mg

Idée pour accompagner

Salade de mâche et oranges

Dans un saladier, mélanger 60 ml (¼ de tasse) d'huile d'olive avec 45 ml (3 c. à soupe) de jus de citron, 15 ml (1 c. à soupe) de pesto aux tomates séchées et 1 oignon vert émincé. Saler et poivrer. Ajouter 750 ml (3 tasses) de mâche et les suprêmes de 2 oranges. Remuer.

Farfalles 1
1 litre (4 tasses)

Edamames décortiqués surgelés 2
250 ml (1 tasse)

15 à 20 tomates cerises 3
coupées en quartiers

Mozzarella 4
coupée en dés
250 ml (1 tasse)

Vinaigrette italienne 5
du commerce
125 ml (½ tasse)

PRÉVOIR AUSSI :
> **Basilic**
80 ml (⅓ de tasse) de feuilles

Salade de pâtes et edamames

Préparation : **15 minutes** • Cuisson : **10 minutes** • Quantité : **4 portions**

Préparation

Dans une casserole d'eau bouillante salée, cuire les pâtes *al dente*. Environ 5 minutes avant la fin de la cuisson des pâtes, ajouter les edamames dans la casserole. Refroidir sous l'eau froide et égoutter.

Dans un saladier, mélanger les pâtes avec les edamames, les tomates cerises, la mozzarella, la vinaigrette italienne et le basilic. Saler et poivrer.

PAR PORTION	
Calories	476
Protéines	21 g
Matières grasses	17 g
Glucides	61 g
Fibres	6 g
Fer	4 mg
Calcium	212 mg
Sodium	529 mg

Version maison

Vinaigrette italienne aux fines herbes

Fouetter 125 ml (½ tasse) d'huile d'olive avec 60 ml (¼ de tasse) de vinaigre de vin rouge et 15 ml (1 c. à soupe) d'ail haché finement. Incorporer 15 ml (1 c. à soupe) d'assaisonnements italiens, 10 ml (2 c. à thé) de sirop d'érable et, si désiré, 1 pincée de piment de Cayenne. Saler et poivrer.

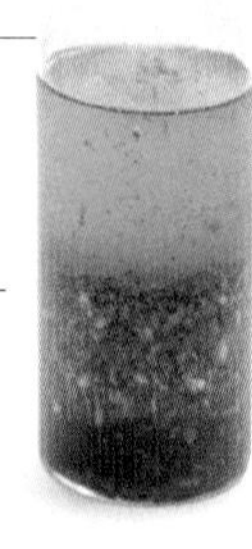

Tofu, edamames et légumes sur la plaque

Préparation : **15 minutes** • Marinage : **15 minutes** • Cuisson : **20 minutes** • Quantité : **4 portions**

Tofu extra-ferme ①
coupé en cubes
1 bloc de 350 g

Vinaigrette miel et moutarde ②
160 ml (⅔ de tasse)

Edamames décortiqués surgelés ③
375 ml (1 ½ tasse)

15 à 20 tomates cerises ④
coupées en deux

3 demi-poivrons ⑤
de couleurs variées
coupés en morceaux

PRÉVOIR AUSSI :

- **½ petit oignon rouge**
émincé

Préparation

Dans un grand sac hermétique, déposer les cubes de tofu et la moitié de la vinaigrette. Saler et poivrer. Secouer afin de bien enrober les cubes de tofu de vinaigrette. Fermer le sac. Laisser mariner au frais de 15 minutes à 2 heures.

Au moment de la cuisson, préchauffer le four à 205 °C (400 °F).

Dans une casserole d'eau bouillante salée, cuire les edamames 5 minutes. Égoutter.

Dans un grand bol, mélanger le reste de la vinaigrette avec les edamames, les tomates cerises, les poivrons et l'oignon rouge.

Répartir la préparation aux edamames et les cubes de tofu sur une plaque de cuisson tapissée de papier parchemin. Saler et poivrer. Cuire au four de 15 à 18 minutes, en remuant de temps en temps.

PAR PORTION	
Calories	362
Protéines	16 g
Matières grasses	24 g
Glucides	26 g
Fibres	6 g
Fer	4 mg
Calcium	238 mg
Sodium	229 mg

Astuce 5•15

Gagner du temps grâce à la cuisson sur la plaque

Tout cuire sur une seule plaque présente bien des avantages : ça permet de préparer un repas protéiné et vitaminé en deux temps trois mouvements (fini les heures aux fourneaux !) et ça allège la corvée de vaisselle, donc on étire le temps de détente ! Petite précaution à prendre : assurez-vous de choisir des aliments qui cuisent tous au même rythme afin d'éviter que certains légumes (courgettes, champignons...) ne brûlent ou ne s'assèchent avant que la viande ne soit cuite.

Pilaf de riz brun aux légumes et noix de pin

Préparation : 15 minutes • Cuisson : 23 minutes • Quantité : 4 portions

1 poivron rouge
émincé

Riz brun à cuisson rapide (de type Uncle Ben's ou Dainty)
250 ml (1 tasse)

Bouillon de légumes
250 ml (1 tasse)

Edamames décortiqués surgelés
500 ml (2 tasses)

Noix de pin
grillées
80 ml (⅓ de tasse)

PRÉVOIR AUSSI :

- **1 petit oignon** haché
- **Céleri** 2 branches émincées

FACULTATIF :

- **Ail** haché 15 ml (1 c. à soupe)
- **Persil** haché 45 ml (3 c. à soupe)

Préparation

Dans une casserole, chauffer un peu d'huile d'olive à feu moyen. Cuire le poivron, l'oignon, le céleri et, si désiré, l'ail 2 minutes.

Ajouter le riz et cuire 1 minute en remuant.

Verser le bouillon et 250 ml (1 tasse) d'eau. Saler et poivrer. Porter à ébullition, puis couvrir et laisser mijoter à feu doux 20 minutes.

Pendant ce temps, cuire les edamames 5 minutes dans une casserole d'eau bouillante salée. Égoutter.

Une fois le riz cuit, laisser reposer 5 minutes, puis incorporer les edamames, les noix de pin et, si désiré, le persil.

PAR PORTION	
Calories	314
Protéines	13 g
Matières grasses	17 g
Glucides	30 g
Fibres	7 g
Fer	3 mg
Calcium	82 mg
Sodium	207 mg

Idée pour accompagner

Salade romaine aux pistaches et zestes de lime

Dans un saladier, mélanger 60 ml (¼ de tasse) d'huile d'olive avec 15 ml (1 c. à soupe) de jus de lime, 15 ml (1 c. à soupe) de zestes de lime, 30 ml (2 c. à soupe) de ciboulette hachée et 80 ml (⅓ de tasse) de pistaches hachées. Saler et poivrer. Ajouter 1 laitue romaine déchiquetée et remuer.

Vous obtiendrez un repas complet en accompagnant votre pilaf de cette salade romaine, qui procure 3 g de protéines par portion !

Salade tiède de quinoa aux edamames et à la feta

Préparation : **15 minutes** • Cuisson : **20 minutes** • Quantité : **4 portions**

1. **Quinoa**
rincé et égoutté
250 ml (1 tasse)

2. **Edamames décortiqués surgelés**
250 ml (1 tasse)

3. **1 poivron jaune**
coupé en dés

4. **16 tomates cerises**
coupées en deux

5. **Feta aux tomates séchées ou nature**
coupée en dés
170 g (environ ⅓ de lb)

PRÉVOIR AUSSI :

- **Huile d'olive**
60 ml (¼ de tasse)
- **Citron**
30 ml (2 c. à soupe) de jus

FACULTATIF :

- **Ciboulette**
hachée
45 ml (3 c. à soupe)
- **Menthe**
hachée
30 ml (2 c. à soupe)
- **8 radis**
coupés en dés

Préparation

Dans une casserole, cuire le quinoa selon les indications de l'emballage.

Pendant ce temps, cuire les edamames 5 minutes dans une casserole d'eau bouillante salée. Égoutter.

Dans un saladier, mélanger l'huile avec le jus de citron et, si désiré, la ciboulette et la menthe. Saler et poivrer.

Ajouter le poivron, les tomates cerises, la feta, le quinoa, les edamames et, si désiré, les radis. Remuer.

PAR PORTION	
Calories	479
Protéines	18 g
Matières grasses	28 g
Glucides	41 g
Fibres	7 g
Fer	4 mg
Calcium	279 mg
Sodium	404 mg

À découvrir

Le kaniwa

Petit cousin du quinoa, le kaniwa (ou « bébé quinoa ») vaut la découverte ! Voici trois bonnes raisons de l'adopter.

1. Sa saveur est similaire à celle du quinoa (bon goût de noisettes), mais sa texture plus ferme offre plus de croquant à se mettre sous la dent.

2. On lui reconnaît une teneur plus élevée en fibres et en protéines que celle du quinoa. C'est aussi une excellente source de fer et d'antioxydants.

3. Contrairement au quinoa, le kaniwa n'a pas de saponine, l'enveloppe responsable du goût amer du quinoa. Il n'est donc pas nécessaire de le rincer avant la cuisson.

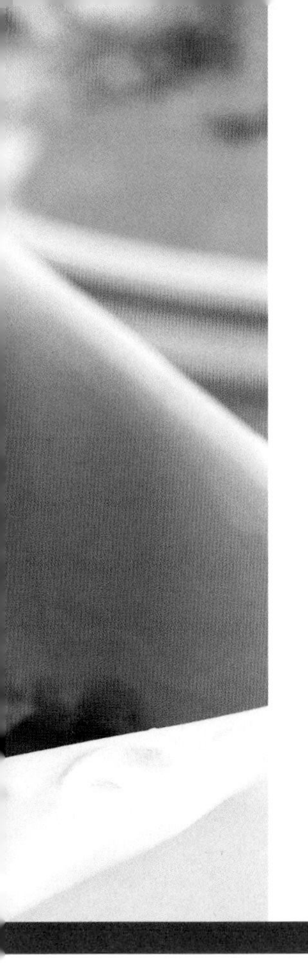

Quinoa et couscous

Les céréales constituent d'exquises options pour varier le menu. Ici, ce sont le quinoa, source de protéines sans gluten, ainsi que le couscous, super rapide à préparer, qui viennent élargir votre répertoire de recettes végé bonnes à s'en lécher les babines!

Couscous aux saucisses végétariennes et courgettes

Préparation : **15 minutes** • Cuisson : **5 minutes** • Quantité : **4 portions**

Couscous ❶
375 ml (1 ½ tasse)

6 saucisses végétariennes ❷
coupées en tranches

2 courgettes ❸
coupées en demi-rondelles

Garam masala ❹
ou épices à couscous
10 ml (2 c. à thé)

2 tomates ❺
coupées en dés

PRÉVOIR AUSSI :

- **Huile d'olive**
  30 ml (2 c. à soupe)
- **1 petit oignon**
  haché
- **Ail**
  haché
  10 ml (2 c. à thé)

FACULTATIF :

- **Pois chiches**
  rincés et égouttés
  1 boîte de 540 ml
- **Coriandre**
  30 ml (2 c. à soupe)
  de feuilles

Préparation

Dans un bol, mélanger le couscous avec 15 ml (1 c. à soupe) d'huile d'olive. Verser 375 ml (1 ½ tasse) d'eau bouillante sur le couscous. Couvrir et laisser reposer 5 minutes avant d'égrainer le couscous à l'aide d'une fourchette.

Dans une grande poêle, chauffer le reste de l'huile d'olive à feu moyen. Cuire les saucisses et l'oignon de 3 à 4 minutes.

Ajouter les courgettes, le garam masala et l'ail dans la poêle. Remuer et poursuivre la cuisson de 1 à 2 minutes.

Ajouter les tomates, le couscous et, si désiré, les pois chiches. Saler, poivrer et remuer.

Répartir le couscous dans les assiettes. Si désiré, garnir de feuilles de coriandre.

PAR PORTION	
Calories	741
Protéines	46 g
Matières grasses	18 g
Glucides	100 g
Fibres	14 g
Fer	10 mg
Calcium	195 mg
Sodium	928 mg

Pour varier

On change de type de couscous !

Vous n'avez pas envie de couscous ordinaire ? Peut-être préférerez-vous le couscous perlé (ou israélien) ! Ses grains un peu plus petits que des pois verts s'accorderont tout aussi bien à cette recette végé. Il y ajoutera une légère saveur de noix et plaira à toute la tablée avec sa texture s'apparentant davantage à celle des pâtes qu'à celle du couscous ordinaire. Un super ingrédient à ajouter dans le garde-manger !

Poivrons farcis au quinoa

Préparation : **15 minutes** • Cuisson : **27 minutes** • Quantité : **4 portions**

4 poivrons ①
de couleurs variées

Soupe aux légumes ②
1 boîte de 540 ml

Quinoa ③
rincé et égoutté
250 ml (1 tasse)

2 courgettes ④
coupées en petits dés

Cheddar ⑤
râpé
250 ml (1 tasse)

FACULTATIF :

➤ **Persil**
haché
15 ml (1 c. à soupe)

Préparation

Préchauffer le four à 190 °C (375 °F).

Couper le tiers supérieur des poivrons, puis retirer le cœur, la membrane blanche et les pépins.

Dans une casserole, porter à ébullition la soupe aux légumes. Ajouter le quinoa et couvrir. Laisser mijoter de 12 à 15 minutes à feu doux, jusqu'à absorption presque complète du liquide. Retirer du feu et laisser reposer 5 minutes avant de remuer à l'aide d'une fourchette.

Incorporer les courgettes dans la casserole. Saler et poivrer.

Déposer les poivrons sur une plaque de cuisson tapissée de papier parchemin. Farcir les poivrons avec la préparation au quinoa, puis parsemer de fromage.

Cuire au four de 15 à 20 minutes.

Si désiré, garnir de persil au moment de servir.

PAR PORTION	
Calories	361
Protéines	16 g
Matières grasses	14 g
Glucides	45 g
Fibres	6 g
Fer	3 mg
Calcium	256 mg
Sodium	570 mg

Idée pour accompagner

Salade d'épinards, concombres et noix

Dans un saladier, mélanger 750 ml (3 tasses) de bébés épinards avec 3 mini-concombres taillés en rubans, 125 ml (½ tasse) de noix de Grenoble hachées et 60 ml (¼ de tasse) de vinaigrette balsamique. Saler, poivrer et bien mélanger.

Quinoa 1
rincé et égoutté
250 ml (1 tasse)

Vinaigre de cidre 2
45 ml (3 c. à soupe)

3 betteraves 3
cuites et coupées en dés

3 demi-poivrons 4
de couleurs variées coupés en cubes

Amandes tranchées 5
rôties
250 ml (1 tasse)

PRÉVOIR AUSSI :
➤ **Huile d'olive**
60 ml (¼ de tasse)
➤ **Miel**
45 ml (3 c. à soupe)

FACULTATIF :
➤ **Persil**
haché
60 ml (¼ de tasse)

Salade tiède de betteraves

Préparation : **15 minutes** • Cuisson : **20 minutes** • Quantité : **4 portions**

Préparation

Préchauffer le four à 205 °C (400 °F).

Dans une casserole, cuire le quinoa selon les indications de l'emballage. Retirer du feu et laisser reposer 5 minutes avant de remuer à l'aide d'une fourchette.

Pendant ce temps, fouetter l'huile d'olive avec le miel, le vinaigre de cidre et, si désiré, la moitié du persil dans un petit bol. Transvider la moitié de la préparation dans un autre bol et y ajouter les betteraves ainsi que les poivrons. Remuer.

Sur une plaque de cuisson tapissée de papier parchemin, déposer les betteraves et les poivrons. Cuire au four de 15 à 18 minutes en remuant les légumes de temps en temps, jusqu'à ce qu'ils soient rôtis. Retirer du four et laisser tiédir.

Dans un saladier, déposer le quinoa et la préparation au miel restante. Ajouter les betteraves et les poivrons. Saler, poivrer et remuer délicatement.

Au moment de servir, garnir d'amandes rôties et, si désiré, du reste du persil.

PAR PORTION	
Calories	539
Protéines	16 g
Matières grasses	31 g
Glucides	54 g
Fibres	9 g
Fer	4 mg
Calcium	132 mg
Sodium	37 mg

Bon à savoir

On gagne à garder la pelure des betteraves pendant la cuisson !

Saviez-vous que le fait de cuire la betterave avec sa pelure permet de préserver un maximum de ses nutriments ? Il suffit de la brosser délicatement sous l'eau afin de la nettoyer, puis de la cuire entière dans l'eau. On la laisse mijoter environ 45 minutes, jusqu'à ce qu'elle soit tendre. Une fois cuite, la peau se retire en un tournemain !

Gratin de légumes et quinoa

Préparation : **15 minutes** • Cuisson : **27 minutes** • Quantité : **4 portions**

Bouillon de légumes ❶
500 ml (2 tasses)

Quinoa ❷
rincé et égoutté
250 ml (1 tasse)

Mélange de légumes surgelés de style italien ❸
750 ml (3 tasses)

Tomates séchées ❹
émincées
60 ml (¼ de tasse)

Cheddar ❺
râpé
250 ml (1 tasse)

PRÉVOIR AUSSI :
➤ **Basilic**
haché
60 ml (¼ de tasse)

Préparation

Préchauffer le four à 205 °C (400 °F).

Dans une casserole, porter le bouillon de légumes à ébullition. Ajouter le quinoa et couvrir. Cuire de 12 à 15 minutes à feu doux, jusqu'à absorption complète du liquide. Retirer du feu et laisser reposer 5 minutes avant de remuer à l'aide d'une fourchette.

Dans une grande poêle, chauffer un peu d'huile d'olive à feu moyen. Cuire le mélange de légumes de 5 à 6 minutes.

Ajouter le quinoa, les tomates séchées et le basilic. Saler, poivrer et remuer.

Transvider la préparation dans un plat de cuisson et garnir de cheddar. Cuire au four de 8 à 10 minutes.

Régler le four à la position « gril » (*broil*) et poursuivre la cuisson de 2 à 3 minutes, jusqu'à ce que le fromage soit doré.

PAR PORTION	
Calories	371
Protéines	16 g
Matières grasses	16 g
Glucides	39 g
Fibres	6 g
Fer	3 mg
Calcium	255 mg
Sodium	586 mg

Bon à savoir

Même surgelés, les légumes sont hyper nutritifs !

Non seulement ils sont prêts à cuisiner, mais en plus, les légumes surgelés sont une excellente option pour remplacer les légumes frais ! Pendant l'hiver, ils seraient même plus intéressants du point de vue nutritionnel, puisque contrairement aux légumes frais importés, le temps qui s'écoule entre la récolte et la surgélation est minime. En effet, plus le temps entre la récolte et la consommation est long, plus la valeur nutritionnelle est affectée.

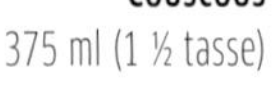

1 Couscous
375 ml (1 ½ tasse)

2 Pesto aux tomates séchées
30 ml (2 c. à soupe)

3 10 à 12 asperges
coupées en tronçons

4 10 à 12 tomates cerises
coupées en deux

5 Feta
émiettée
180 ml (¾ de tasse)

PRÉVOIR AUSSI :
➤ **Huile d'olive**
30 ml (2 c. à soupe)

FACULTATIF :
➤ **Persil**
haché
30 ml (2 c. à soupe)

Salade de couscous, asperges et feta

Préparation : **15 minutes** • Cuisson : **6 minutes** • Quantité : **4 portions**

Préparation

Dans un bol, mélanger le couscous avec 15 ml (1 c. à soupe) d'huile d'olive et le pesto. Verser 375 ml (1 ½ tasse) d'eau bouillante sur le couscous. Couvrir et laisser reposer 5 minutes avant d'égrainer le couscous à l'aide d'une fourchette.

Dans une grande poêle, chauffer le reste de l'huile d'olive à feu moyen. Cuire les asperges de 4 à 5 minutes.

Ajouter les tomates cerises et poursuivre la cuisson 2 minutes.

Ajouter le couscous et, si désiré, le persil. Saler, poivrer et remuer.

Répartir le couscous dans les assiettes et garnir de feta.

PAR PORTION	
Calories	457
Protéines	15 g
Matières grasses	18 g
Glucides	59 g
Fibres	5 g
Fer	2 mg
Calcium	178 mg
Sodium	321 mg

Astuce 5•15

Couscous à la rescousse !

Plus rapide à préparer que le riz et les pâtes (il suffit de l'hydrater cinq minutes dans un peu d'eau bouillante), la semoule de blé (ou couscous) est l'aliment dépanneur par excellence pour une salade vite faite. Avec une conserve de légumineuses, quelques légumes, du fromage et une bonne vinaigrette, on obtient une salade aussi délicieuse que nutritive prête en deux temps, trois mouvements !

Salade de quinoa rôti et lentilles

Préparation : **15 minutes** • Cuisson : **13 minutes** • Quantité : **4 portions**

Quinoa ❶
250 ml (1 tasse)

Lentilles ❷
rincées et égouttées
1 boîte de 398 ml

18 tomates cerises ❸

Vinaigrette coriandre et lime ❹
du commerce
80 ml (⅓ de tasse)

Mâche ❺
500 ml (2 tasses)

FACULTATIF :

➤ **Noix de pin**
60 ml (¼ de tasse)

Préparation

À l'aide d'une passoire fine, rincer le quinoa à l'eau froide. Égoutter, puis éponger à l'aide d'un linge ou de papier absorbant.

Dans une casserole, porter 375 ml (1 ½ tasse) d'eau à ébullition.

Pendant ce temps, chauffer une poêle antiadhésive à feu moyen. Faire dorer le quinoa de 30 secondes à 1 minute en remuant. Retirer du feu.

Lorsque l'eau bout, déposer le quinoa dans la casserole. Couvrir et cuire de 12 à 15 minutes, jusqu'à absorption complète du liquide. Transférer le quinoa dans un saladier et laisser tiédir avant de remuer à l'aide d'une fourchette.

Ajouter les lentilles, les tomates cerises, la vinaigrette et, si désiré, les noix de pin dans le saladier. Saler, poivrer et remuer.

Répartir la mâche dans les assiettes. Garnir chaque portion de salade de quinoa.

PAR PORTION	
Calories	448
Protéines	15 g
Matières grasses	22 g
Glucides	49 g
Fibres	7 g
Fer	6 mg
Calcium	58 mg
Sodium	205 mg

Version maison

Vinaigrette coriandre et lime

Fouetter 60 ml (¼ de tasse) d'huile d'olive avec 30 ml (2 c. à soupe) de jus de lime, 5 ml (1 c. à thé) de miel et 80 ml (⅓ de tasse) de coriandre hachée. Saler et poivrer.

One pot de quinoa tandoori

Préparation : **15 minutes** • Cuisson : **30 minutes** • Quantité : **4 portions**

Patate douce ❶
coupée en cubes
250 ml (1 tasse)

Garam masala ❷
15 ml (1 c. à soupe)

Quinoa ❸
rincé et égoutté
250 ml (1 tasse)

Pois chiches ❹
rincés et égouttés
1 boîte de 540 ml

Tomates en dés ❺
1 boîte de 540 ml

PRÉVOIR AUSSI :

- **½ oignon rouge** émincé
- **Bouillon de légumes** réduit en sodium 310 ml (1 ¼ tasse)
- **Cassonade** 15 ml (1 c. à soupe)

FACULTATIF :

- **Ail** 2 gousses hachées

Préparation

Dans une grande casserole, chauffer un peu d'huile d'olive à feu moyen. Cuire les cubes de patate douce 6 minutes en remuant fréquemment, jusqu'à ce qu'ils soient légèrement tendres.

Ajouter l'oignon rouge et poursuivre la cuisson 3 minutes en remuant.

Ajouter le garam masala et, si désiré, l'ail. Remuer et cuire environ 30 secondes.

Ajouter le quinoa, le bouillon de légumes, les pois chiches, les tomates en dés et la cassonade. Saler, poivrer et bien mélanger. Porter à ébullition.

Réduire le feu à doux, puis couvrir et cuire 20 minutes en remuant fréquemment et en ajoutant du bouillon au besoin, jusqu'à ce que le quinoa et la patate douce soient cuits. Rectifier l'assaisonnement au besoin.

PAR PORTION	
Calories	423
Protéines	16 g
Matières grasses	9 g
Glucides	72 g
Fibres	9 g
Fer	6 mg
Calcium	130 mg
Sodium	281 mg

À découvrir

Le garam masala

Typique de la cuisine indienne, le garam masala est un mélange d'épices qui se compose notamment de cardamome, de cumin, de coriandre, de clous de girofle, de cannelle, de poivre noir et de muscade. Il aromatise entre autres à merveille les plats de riz et les légumes (courgettes, aubergines, carottes, etc.). Pour une saveur plus prononcée, on le chauffe quelques minutes dans la poêle, puis on l'ajoute à la préparation en toute fin de cuisson.

Recette de Eve Godin, nutritionniste

Bol de quinoa, haricots noirs et patates douces

Préparation : **15 minutes** • Cuisson : **18 minutes** • Quantité : **4 portions**

2 patates douces ❶
pelées et coupées en petits cubes

Épices barbecue ❷
15 ml (1 c. à soupe)

Quinoa ❸
cuit
500 ml (2 tasses)

Haricots noirs ❹
rincés et égouttés
1 boîte de 540 ml

Vinaigrette campagne ❺
du commerce
250 ml (1 tasse)

PRÉVOIR AUSSI :
- **Huile d'olive** 30 ml (2 c. à soupe)
- **2 oignons verts** émincés

FACULTATIF :
- **2 échalotes sèches** (françaises) hachées
- **Céleri** 2 branches coupées en dés

Préparation

Préchauffer le four à 205 °C (400 °F).

Dans un bol, mélanger les patates douces avec l'huile d'olive et les épices barbecue.

Déposer les patates douces sur une plaque de cuisson tapissée de papier parchemin. Cuire au four de 18 à 20 minutes, jusqu'à tendreté.

Dans un saladier, mélanger le quinoa cuit avec les haricots noirs, les oignons verts et, si désiré, les échalotes et le céleri. Ajouter les patates douces et la vinaigrette. Remuer délicatement.

PAR PORTION	
Calories	582
Protéines	15 g
Matières grasses	34 g
Glucides	64 g
Fibres	12 g
Fer	4 mg
Calcium	77 mg
Sodium	767 mg

Version maison

Vinaigrette campagnarde

Mélanger 125 ml (½ tasse) de crème sure avec 60 ml (¼ de tasse) d'huile d'olive, 60 ml (¼ de tasse) de persil haché, 45 ml (3 c. à soupe) de feuilles de coriandre, 30 ml (2 c. à soupe) de jus de lime et 15 ml (1 c. à soupe) de miel. Saler et poivrer.

Croquettes de chou-fleur au cari

Préparation : **15 minutes** • Réfrigération : **30 minutes** • Cuisson : **20 minutes**
Quantité : **4 portions (16 croquettes)**

1 chou-fleur ❶
coupé en petits bouquets

Cari ❷
5 ml (1 c. à thé)

Yogourt grec nature 0 % ❸
30 ml (2 c. à soupe)

Chapelure assaisonnée à l'italienne ❹
310 ml (1 ¼ tasse)

Quinoa ❺
cuit et refroidi
375 ml (1 ½ tasse)

PRÉVOIR AUSSI :
➤ **2 œufs**

FACULTATIF :
➤ **Persil**
haché
15 ml (1 c. à soupe)

➤ **Curcuma**
5 ml (1 c. à thé)

Préparation

Dans une casserole d'eau bouillante salée, cuire le chou-fleur *al dente*. Égoutter et laisser tiédir.

À l'aide du mélangeur-plongeur, réduire le chou-fleur en purée. Déposer la purée de chou-fleur sur un linge et tordre le linge pour retirer un maximum d'eau du chou-fleur.

Dans un bol, fouetter les œufs avec le cari, le yogourt, la chapelure et, si désiré, le persil et le curcuma. Saler et poivrer. Incorporer le quinoa cuit et la purée de chou-fleur. Remuer jusqu'à l'obtention d'une texture homogène. Réfrigérer 30 minutes.

Au moment de la cuisson, préchauffer le four à 205 °C (400 °F).

Façonner 16 croquettes en utilisant environ 60 ml (¼ de tasse) de préparation pour chacune d'elles.

Dans une grande poêle, chauffer un peu d'huile d'olive à feu moyen. Cuire les croquettes de 2 à 3 minutes de chaque côté.

Déposer les croquettes sur une plaque de cuisson tapissée de papier parchemin. Poursuivre la cuisson au four de 10 à 12 minutes, en retournant les croquettes à mi-cuisson.

PAR PORTION	
4 croquettes	
Calories	384
Protéines	15 g
Matières grasses	17 g
Glucides	48 g
Fibres	7 g
Fer	4 mg
Calcium	151 mg
Sodium	626 mg

Idée pour accompagner

Sauce aïoli

Mélanger 125 ml (½ tasse) de yogourt grec nature avec 30 ml (2 c. à soupe) de basilic haché, 15 ml (1 c. à soupe) d'ail haché et 15 ml (1 c. à soupe) de zestes de citron. Saler et poivrer.

Salade de quinoa, avocats, olives noires et tomates confites

Préparation : **15 minutes** • Cuisson : **45 minutes** • Quantité : **4 portions**

Quinoa rouge ❶
rincé et égoutté
250 ml (1 tasse)

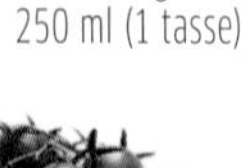

Tomates cerises ❷
coupées en deux
500 ml (2 tasses)

2 gros avocats ❸

Vinaigrette balsamique ❹
160 ml (⅔ de tasse)

8 olives noires ❺
dénoyautées

FACULTATIF :
➤ **Coriandre**
1 botte effeuillée

Préparation

PAR PORTION	
Calories	497
Protéines	9 g
Matières grasses	32 g
Glucides	46 g
Fibres	11 g
Fer	3 mg
Calcium	41 mg
Sodium	574 mg

Préchauffer le four à 180 °C (350 °F).

Dans une casserole, cuire le quinoa selon les indications de l'emballage.

Transférer le quinoa dans une grande assiette. Arroser d'un filet d'huile d'olive et remuer. Laisser tiédir, puis réserver au frais.

Dans un bol, déposer les tomates cerises et arroser d'huile d'olive. Saler, poivrer et remuer.

Sur une plaque de cuisson tapissée de papier d'aluminium, déposer les tomates cerises. Cuire au four 30 minutes, jusqu'à ce que les tomates aient perdu leur eau et qu'elles soient légèrement flétries.

Retirer du four et déposer les tomates cerises dans une assiette tapissée de papier absorbant. Laisser tiédir, puis réserver au frais.

Au moment de servir, déposer le quinoa et les tomates cerises confites dans un saladier.

Tailler les avocats en quartiers et déposer dans le saladier. Ajouter la vinaigrette et remuer. Garnir d'olives et, si désiré, de feuilles de coriandre.

Idée pour accompagner

Noix caramélisées à l'érable et aux épices

Dans une poêle, porter à ébullition à feu moyen 60 ml (¼ de tasse) de sirop d'érable et 15 ml (1 c. à soupe) de beurre salé. Laisser mijoter 2 minutes. Hors du feu, ajouter 250 ml (1 tasse) de mélange de noix non salées, 1,25 ml (¼ de c. à thé) de cannelle, 1 pincée de gingembre moulu et 2,5 ml (½ c. à thé) de piment d'Espelette. Remuer pour bien enrober les noix du mélange de cannelle. Sur une plaque de cuisson tapissée de papier parchemin, étaler les noix, sans les superposer. Cuire au four de 18 à 20 minutes à 180 °C (350 °F), en remuant à mi-cuisson. Retirer du four et laisser tiédir.

Accompagnez votre salade de quinoa de noix caramélisées pour ajouter 6 g de protéines par portion et ainsi obtenir un repas complet !

Salade tiède de quinoa à l'asiatique

Préparation : **15 minutes** • Quantité : **4 portions**

Tamari ❶
ou sauce soya
30 ml (2 c. à soupe)

Lime ❷
15 ml (1 c. à soupe)
de jus

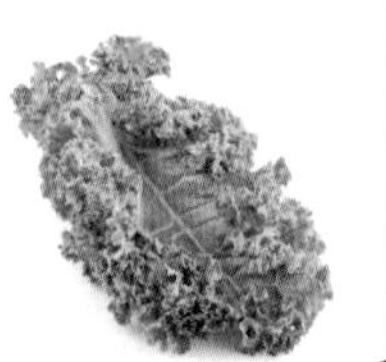

Chou kale ❸
1 grande feuille
hachée finement

1 petit poivron rouge ❹
coupé en dés

Quinoa ❺
cuit
750 ml (3 tasses)

PRÉVOIR AUSSI :

- **Miel**
  15 ml (1 c. à soupe)
- **¼ d'oignon rouge**
  haché finement

FACULTATIF :

- **Canneberges séchées**
  80 ml (⅓ de tasse)
- **Coriandre**
  hachée
  30 ml (2 c. à soupe)
- **Noix de cajou**
  80 ml (⅓ de tasse)

Préparation

Dans un saladier, mélanger le tamari avec le jus de lime et le miel.

Ajouter le chou kale, l'oignon rouge, le poivron, le quinoa cuit et, si désiré, les canneberges, la coriandre et les noix de cajou dans le saladier. Saler, poivrer et remuer.

PAR PORTION	
Calories	307
Protéines	10 g
Matières grasses	8 g
Glucides	51 g
Fibres	6 g
Fer	3 mg
Calcium	43 mg
Sodium	525 mg

Idée pour accompagner

Œufs au gingembre et soya

Dans un bol, fouetter 4 œufs avec 15 ml (1 c. à soupe) de sauce soya et 15 ml (1 c. à soupe) de coriandre hachée. Dans une poêle, chauffer 15 ml (1 c. à soupe) d'huile de sésame (non grillé) à feu moyen. Cuire 15 ml (1 c. à soupe) de gingembre haché et 5 ml (1 c. à thé) d'ail haché de 1 à 2 minutes. Verser les œufs et remuer jusqu'à ce qu'ils soient pris. Laisser tiédir, puis couper en dés. Garnir la salade d'œufs au moment de servir.

Accompagnez votre salade d'œufs au gingembre (+ 7 g de protéines par portion) afin d'obtenir un repas complet !

Recette de Jacinthe Boucher

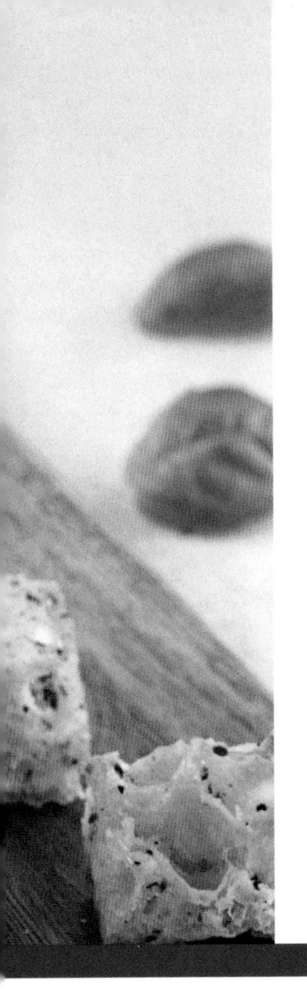

Pois chiches

Entiers ou sous forme de houmous, les pois chiches ont le chic de transformer nos sandwichs, salades, chilis et autres recettes végé en mets jazzés et super protéinés. Cette coquette légumineuse s'acoquine ici avec des légumes colorés pour aguicher à la fois papilles et pupilles!

Salade de tomates et courgettes aux pois chiches

Préparation : **15 minutes** • Quantité : **4 portions**

Pois chiches ❶
rincés et égouttés
1 boîte de 540 ml

4 tomates ❷
coupées en quartiers

2 petites courgettes ❸
coupées en demi-rondelles

Fromage de chèvre crémeux ❹
émietté
100 g (3 ½ oz)

Vinaigrette aux tomates séchées ❺
80 ml (⅓ de tasse)

PRÉVOIR AUSSI :

- **½ petit oignon rouge**
  émincé
- **Basilic**
  haché
  30 ml (2 c. à soupe)

FACULTATIF :

- **Olives Kalamata**
  80 ml (⅓ de tasse)

Préparation

Dans un saladier, déposer les pois chiches, les tomates, les courgettes, le fromage de chèvre, l'oignon rouge, le basilic et, si désiré, les olives.

Verser la vinaigrette et bien mélanger. Saler et poivrer.

PAR PORTION	
Calories	391
Protéines	15 g
Matières grasses	22 g
Glucides	39 g
Fibres	7 g
Fer	3 mg
Calcium	100 mg
Sodium	578 mg

Option santé

Les pois chiches

Les pois chiches sont pauvres en matières grasses, très riches en protéines végétales et gorgés de fibres. Et puisqu'ils procurent un sentiment de satiété rapidement, ils sont des alliés parfaits pour concocter des plats sains qui vous sustenteront jusqu'au prochain repas !

Pois chiches ❶
rincés et égouttés
1 boîte de 540 ml

8 carottes nantaises ❷
coupées en tronçons

4 panais ❸
coupés en tronçons

1 petit oignon rouge ❹
émincé

Vinaigrette érable et Dijon ❺
80 ml (⅓ de tasse)

PRÉVOIR AUSSI :
- **Cumin** 5 ml (1 c. à thé)
- **Curcuma** 2,5 ml (½ c. à thé)

Pois chiches et légumes rôtis sur la plaque

Préparation : **15 minutes** • Cuisson : **25 minutes** • Quantité : **4 portions**

Préparation

Préchauffer le four à 205 °C (400 °F).

Dans un grand bol, mélanger les pois chiches avec les carottes, les panais, l'oignon rouge, la vinaigrette, les épices et, si désiré, le poivron. Saler et poivrer.

Sur une plaque de cuisson tapissée de papier parchemin, déposer le mélange de légumes. Cuire au four de 25 à 30 minutes, en remuant les légumes de temps en temps, jusqu'à ce qu'ils soient tendres et bien rôtis.

PAR PORTION	
Calories	354
Protéines	11 g
Matières grasses	11 g
Glucides	57 g
Fibres	10 g
Fer	4 mg
Calcium	122 mg
Sodium	229 mg

Idée pour accompagner

Riz au curcuma et ciboulette

Dans une casserole, chauffer 15 ml (1 c. à soupe) d'huile d'olive à feu moyen. Cuire 60 ml (¼ de tasse) d'échalotes sèches (françaises) hachées avec 5 ml (1 c. à thé) de curcuma de 1 à 2 minutes. Ajouter 250 ml (1 tasse) de riz basmati rincé et égoutté ainsi que 500 ml (2 tasses) de bouillon de légumes. Saler et poivrer. Porter à ébullition, puis couvrir et cuire de 18 à 20 minutes à feu doux. Incorporer 30 ml (2 c. à soupe) de ciboulette hachée.

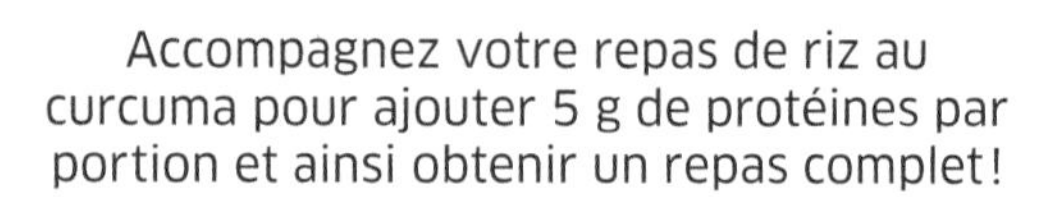

Accompagnez votre repas de riz au curcuma pour ajouter 5 g de protéines par portion et ainsi obtenir un repas complet !

FACULTATIF :
- **1 poivron rouge** coupé en morceaux

Gratin de pois chiches et tomates

Préparation : 15 minutes • Cuisson : 22 minutes • Quantité : 4 portions

Pois chiches ❶
rincés et égouttés
1 boîte de 540 ml

8 œufs ❷
battus

Croûtons assaisonnés ❸
500 ml (2 tasses)

15 à 20 tomates cerises ❹
coupées en deux

Fromage en grains ❺
250 ml (1 tasse)

PRÉVOIR AUSSI :
➤ **Ail**
haché
10 ml (2 c. à thé)

FACULTATIF :
➤ **Basilic**
haché
10 ml (2 c. à thé)

Préparation

Préchauffer le four à 190 °C (375 °F).

Dans un bol, écraser grossièrement les pois chiches à l'aide d'une fourchette.

Ajouter les œufs battus, les croûtons, les tomates cerises, l'ail et, si désiré, le basilic dans le bol. Saler, poivrer et remuer délicatement.

Répartir la préparation dans quatre ramequins d'une capacité de 375 ml (1 ½ tasse) chacun. Garnir de fromage en grains.

Cuire au four de 20 à 25 minutes, jusqu'à ce que les œufs soient pris.

Régler le four à la position « gril » (*broil*) et faire griller de 2 à 3 minutes, jusqu'à ce que le fromage soit doré.

PAR PORTION	
Calories	525
Protéines	31 g
Matières grasses	25 g
Glucides	43 g
Fibres	6 g
Fer	5 mg
Calcium	351 mg
Sodium	571 mg

Idée pour accompagner

Salade de chou rouge, roquette et tomates cerises

Dans un saladier, mélanger 60 ml (¼ de tasse) d'huile d'olive avec 30 ml (2 c. à soupe) de jus de citron et 15 ml (1 c. à soupe) de miel. Saler et poivrer. Ajouter 500 ml (2 tasses) de roquette, 12 tomates cerises coupées en deux et 250 ml (1 tasse) de chou rouge émincé. Remuer.

Sandwichs aux légumes et houmous

Préparation : **15 minutes** • Cuisson : **2 minutes** • Quantité : **4 portions**

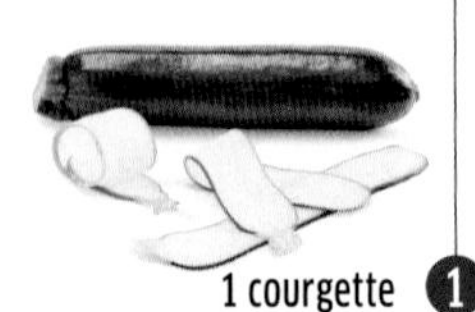

1 courgette ①
tranchée finement sur la longueur

1 poivron rouge ②
émincé

Pain belge au blé germé ③
8 tranches

Houmous ④
125 ml (½ tasse)

Mozzarella ⑤
râpée
250 ml (1 tasse)

PRÉVOIR AUSSI :
- **Huile d'olive** 30 ml (2 c. à soupe)
- **Ail** haché 5 ml (1 c. à thé)

FACULTATIF :
- **8 champignons** émincés
- **Roquette** 375 ml (1 ½ tasse)

Préparation

Dans une poêle, faire griller la courgette, le poivron et, si désiré, les champignons de 2 à 5 minutes.

Tartiner un seul côté des tranches de pain de houmous.

Dans un bol, mélanger les légumes grillés avec l'huile et l'ail. Saler et poivrer.

Répartir les légumes sur le côté tartiné de la moitié des tranches de pain. Garnir de fromage et, si désiré, de roquette. Fermer les sandwichs.

PAR PORTION	
Calories	376
Protéines	19 g
Matières grasses	19 g
Glucides	35 g
Fibres	8 g
Fer	3 mg
Calcium	257 mg
Sodium	536 mg

À découvrir

Le houmous

Composé de purée de pois chiches, de tahini (beurre de sésame), d'huile, d'ail et de jus de citron, ce hors-d'œuvre originaire du Moyen-Orient se révèle un bon moyen pour apprivoiser les légumineuses. En tartinade, le houmous transforme un sandwich végétarien en savoureux repas nourrissant grâce à son apport important en protéines. Essayez-le aussi en trempette avec des crudités ou avec des bouchées de pita grillé. Vous trouverez sur le marché du houmous traditionnel ou assaisonné (poivrons grillés, ail rôti, légumes...).

Recette de Ève Godin, nutritionniste

Pois chiches ❶
rincés et égouttés
1 boîte de 540 ml

Assaisonnements à la grecque ❷
10 ml (2 c. à thé)

4 pitas ❸

Sauce tzatziki ❹
125 ml (½ tasse)

Laitue frisée verte ❺
8 feuilles

Gyros aux pois chiches rôtis

Préparation : **15 minutes** • Cuisson : **4 minutes** • Quantité : **4 portions**

Préparation

Assécher les pois chiches sur du papier absorbant.

Dans une poêle, chauffer un peu d'huile d'olive à feu doux-moyen. Faire dorer les pois chiches de 4 à 5 minutes, jusqu'à ce qu'ils soient croustillants.

Ajouter les assaisonnements à la grecque et remuer.

Tartiner les pitas de tzatziki. Garnir de laitue, de pois chiches grillés, d'oignon rouge et, si désiré, de tomates et de concombres.

PAR PORTION	
Calories	387
Protéines	15 g
Matières grasses	8 g
Glucides	65 g
Fibres	7 g
Fer	6 mg
Calcium	133 mg
Sodium	535 mg

Pour varier

On prépare une sauce tzatziki maison nouveau genre!

Le tzatziki est le parfait accompagnement des repas méditerranéens, mais cela ne veut pas dire qu'on ne peut pas le réinventer! Notre suggestion : optez pour une version de ce classique rehaussée d'un petit goût de tomates séchées! Il suffit de mélanger dans un bol 180 ml (¾ de tasse) de yogourt grec nature avec 30 ml (2 c. à soupe) de menthe hachée, 30 ml (2 c. à soupe) de persil haché, 15 ml (1 c. à soupe) de pesto aux tomates séchées, 5 ml (1 c. à thé) d'ail haché et 1 mini-concombre coupé en dés. Salez, poivrez… et savourez!

PRÉVOIR AUSSI :
- **½ oignon rouge**
  coupé en dés

FACULTATIF :
- **2 tomates**
  coupées en dés
- **2 mini-concombres**
  coupés en dés

Salade de légumes spirales, pois chiches et bocconcinis

Préparation : **15 minutes** • Quantité : **de 4 à 6 portions**

2 betteraves ❶

Pois chiches ❷
rincés et égouttés
1 boîte de 540 ml

Bocconcinis cocktail ❸
coupés en deux
1 contenant de 200 g

Noix de Grenoble ❹
grossièrement hachées
60 ml (¼ de tasse)

Vinaigrette miel et moutarde ❺
180 ml (¾ de tasse)

PRÉVOIR AUSSI :
- **2 panais**
- **½ concombre**

FACULTATIF :
- **2 avocats**
- **Raisins rouges**
  coupés en deux
  180 ml (¾ de tasse)
- **Croûtons nature**
  250 ml (1 tasse)

PAR PORTION	
Calories	515
Protéines	17 g
Matières grasses	32 g
Glucides	45 g
Fibres	10 g
Fer	3 mg
Calcium	253 mg
Sodium	226 mg

Préparation

À l'aide d'un coupe-spirales, d'une mandoline ou d'un économe, tailler les betteraves et les panais en julienne. Tailler le concombre en rubans. Si désiré, couper les avocats en quartiers.

Dans quatre à six assiettes creuses, répartir les légumes, les pois chiches, les bocconcinis et, si désiré, les avocats. Parsemer de noix et, si désiré, de raisins et de croûtons. Napper de vinaigrette. Remuer délicatement.

Astuce 5•15

Des croûtons maison toujours prêts

Les croûtons ont le don de donner du croquant à n'importe quelle salade ! Pour gagner du temps, préparez-en une bonne réserve à l'avance. Coupez du pain en dés, puis enrobez ces derniers d'huile d'olive, de sel et de fines herbes au choix. Faites-les ensuite dorer au four environ 15 minutes à 190 °C (375 °F). Une fois que les croûtons sont refroidis, congelez-les dans un sac hermétique. Ils se garderont ainsi jusqu'à trois mois.

Fromage halloumi ❶
(fromage à griller de type Doré-mi)
100 g (3 ½ oz)

4 pitas de blé entier ❷

Pois chiches ❸
rincés et égouttés
1 boîte de 540 ml

Épices zaatar ❹
du commerce
10 ml (2 c. à thé)

Bébés épinards ❺
500 ml (2 tasses)

PRÉVOIR AUSSI :

- **Huile d'olive** 45 ml (3 c. à soupe)
- **½ oignon** haché finement
- **Ail** 1 gousse hachée finement

FACULTATIF :

- **15 à 20 tomates cerises** coupées en deux
- **Citron** 30 ml (2 c. à soupe) de jus

Pitas aux pois chiches à la libanaise

Préparation : **15 minutes** • Cuisson : **7 minutes** • Quantité : **4 portions**

Préparation

PAR PORTION	
Calories	515
Protéines	21 g
Matières grasses	21 g
Glucides	66 g
Fibres	11 g
Fer	5 mg
Calcium	316 mg
Sodium	584 mg

Chauffer une poêle à feu moyen. Faire griller les tranches de fromage 1 minute de chaque côté. Réserver dans une assiette.

Déposer les pitas sur une plaque de cuisson. Faire griller quelques minutes au four à la position « gril » (*broil*).

Dans la même poêle, chauffer 15 ml (1 c. à soupe) d'huile d'olive à feu moyen. Cuire l'oignon et l'ail 5 minutes, jusqu'à ce qu'ils soient tendres.

Ajouter les pois chiches dans la poêle et réchauffer quelques secondes. Si désiré, ajouter la moitié des tomates cerises et remuer.

Déposer la préparation aux pois chiches dans le contenant du robot culinaire. Ajouter les épices zaatar. Saler et poivrer. Émulsionner jusqu'à l'obtention d'une préparation lisse. Rectifier l'assaisonnement au besoin.

Dans un bol, mélanger les bébés épinards avec le reste de l'huile d'olive et, si désiré, le jus de citron. Saler et poivrer.

Tartiner les pitas de la préparation aux pois chiches. Garnir de tranches de fromage, de bébés épinards et, si désiré, des tomates cerises restantes. Rouler.

Version maison

Épices zaatar

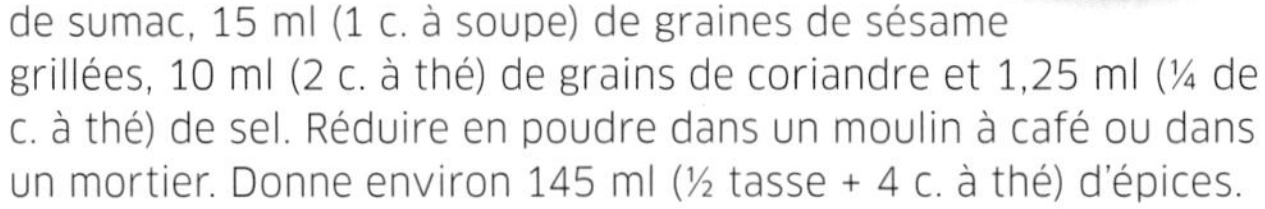

Mélanger 30 ml (2 c. à soupe) de sarriette séchée avec 30 ml (2 c. à soupe) d'origan séché, 30 ml (2 c. à soupe) de thym séché, 15 ml (1 c. à soupe) de grains de cumin, 15 ml (1 c. à soupe) de sumac, 15 ml (1 c. à soupe) de graines de sésame grillées, 10 ml (2 c. à thé) de grains de coriandre et 1,25 ml (¼ de c. à thé) de sel. Réduire en poudre dans un moulin à café ou dans un mortier. Donne environ 145 ml (½ tasse + 4 c. à thé) d'épices.

Chili aux légumineuses et orge

Préparation : **15 minutes** • Cuisson : **47 minutes** • Quantité : **6 portions**

3 demi-poivrons ❶
de couleurs variées coupés en dés

Tomates broyées avec épices ❷
1 boîte de 796 ml

Assaisonnements à chili ❸
10 ml (2 c. à thé)

Orge mondé ❹
125 ml (½ tasse)

Mélange de légumineuses ❺
rincées et égouttées
2 boîtes de 540 ml chacune

PRÉVOIR AUSSI :

- **1 oignon** haché
- **Ail** 2 gousses hachées
- **Bouillon de légumes** 500 ml (2 tasses)

FACULTATIF :

- **2 patates douces** coupées en cubes

Préparation

Dans une casserole, chauffer un peu d'huile d'olive à feu moyen. Cuire l'oignon et l'ail 2 minutes.

Ajouter les poivrons, les tomates broyées, les assaisonnements à chili et l'orge. Remuer.

Verser le bouillon de légumes et porter à ébullition. Saler. Cuire de 35 à 40 minutes à feu doux-moyen.

Ajouter le mélange de légumineuses et, si désiré, les cubes de patates douces. Saler et poivrer. Prolonger la cuisson de 10 à 15 minutes.

PAR PORTION	
Calories	363
Protéines	17 g
Matières grasses	4 g
Glucides	61 g
Fibres	16 g
Fer	5 mg
Calcium	137 mg
Sodium	1 122 mg

Bon à savoir

Ce chili végé est hyper nutritif !

Ce délicieux chili revisité à la sauce végé vous invite à adhérer sans tarder au courant « Lundi sans viande » ! Que vous l'inscriviez au menu en début ou en fin de semaine, ce plat aussi coloré qu'épicé assouvira votre appétit autant que votre faim de nutriments. Grâce à sa teneur élevée en fibres (16 g par portion, soit 64 % de la valeur quotidienne recommandée), il favorise la sensation de satiété. Parmi ses autres qualités, on compte un apport en fer comblant près de la moitié des besoins quotidiens (34 % VQ).

Mini-burgers falafels

Préparation : **15 minutes** • Cuisson : **8 minutes** • Quantité : **4 portions (12 mini-burgers)**

Yogourt grec nature 0 % ❶
250 ml (1 tasse)

Pois chiches ❷
rincés et égouttés
1 boîte de 540 ml

Épices à couscous ❸
10 ml (2 c. à thé)

12 mini-pains minces à hamburger ❹

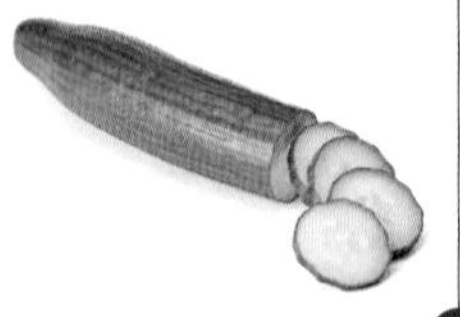

¼ de concombre anglais ❺
coupé en fines rondelles

PRÉVOIR AUSSI :

➤ **Ail**
haché
15 ml (1 c. à soupe)

➤ **Chapelure nature**
45 ml (3 c. à soupe)

FACULTATIF :

➤ **Menthe**
13 feuilles

Préparation

Dans un bol, mélanger le yogourt avec 5 ml (1 c. à thé) d'ail.

Si désiré, hacher 1 feuille de menthe. Incorporer à la préparation au yogourt. Réserver au frais.

Dans le contenant du robot culinaire, déposer les pois chiches, les épices à couscous, la chapelure et le reste de l'ail. Saler et poivrer. Mélanger jusqu'à l'obtention d'une consistance pâteuse. Ne pas réduire en purée lisse.

Façonner douze galettes de 1,5 cm (⅔ de po) d'épaisseur en utilisant environ 45 ml (3 c. à soupe) de préparation pour chacune d'elles.

Dans une poêle, chauffer un peu d'huile d'olive à feu moyen. Cuire les galettes de 2 à 3 minutes de chaque côté, jusqu'à ce qu'elles soient dorées.

Ouvrir les pains en deux et les déposer sur une plaque de cuisson. Faire griller au four 1 minute à la position « gril » (*broil*).

Garnir chacun des pains de sauce au yogourt, de rondelles de concombre, d'une galette de pois chiches et, si désiré, d'une feuille de menthe.

PAR PORTION	
3 mini-burgers	
Calories	402
Protéines	21 g
Matières grasses	8 g
Glucides	63 g
Fibres	8 g
Fer	5 mg
Calcium	201 mg
Sodium	288 mg

À découvrir

Les burgers de légumineuses

Aliments plus que nutritifs, les légumineuses se prêtent à merveille aux recettes de tous genres… même aux burgers ! Lentilles, haricots, pois chiches : réinventez ce mets classique en remplaçant les galettes de viande par des galettes à base de ces petits trésors nutritifs ! Elles y ajouteront fibres et vitamines en plus d'offrir un bon apport en protéines. Petit plus : les légumineuses ne coûtent presque rien, elles sont donc une option à la fois santé et économique !

Boulettes épicées aux pois chiches

Préparation : **15 minutes** • Trempage (facultatif) : **30 minutes** • Cuisson : **33 minutes** • Quantité : **6 portions**

Pain de blé entier ❶
3 tranches

Quinoa ❷
rincé et égoutté
160 ml (⅔ de tasse)

Bouillon de légumes ❸
réduit en sodium
180 ml (¾ de tasse)

Pois chiches ❹
rincés et égouttés
1 boîte de 540 ml

Gruyère ❺
ou emmenthal
râpé
250 ml (1 tasse)

PRÉVOIR AUSSI :

- **1 petit oignon rouge** haché finement
- **Assaisonnements piri-piri** 5 ml (1 c. à thé)

FACULTATIF :

- **Ail** 1 gousse hachée finement

Préparation

Si les brochettes utilisées sont en bambou, les faire tremper dans l'eau environ 30 minutes avant la cuisson.

Au moment de la cuisson, préchauffer le four à 205 °C (400 °F).

Retirer la croûte des tranches de pain, puis couper la mie en dés.

Dans une casserole, chauffer un peu d'huile d'olive à feu moyen. Cuire l'oignon rouge et, si désiré, l'ail 5 minutes, jusqu'à ce qu'ils soient tendres.

Ajouter le quinoa et le bouillon de légumes. Porter à ébullition, puis couvrir et cuire 15 minutes à feu doux, jusqu'à absorption complète du liquide. Retirer du feu et laisser tiédir.

Dans un bol, mélanger le quinoa tiédi avec les dés de pain, les pois chiches et les assaisonnements piri-piri. Saler et poivrer.

Transférer la préparation dans le contenant du robot culinaire. Mélanger jusqu'à l'obtention d'une pâte qui se tient lorsqu'on la presse avec les doigts.

Remettre la préparation dans le bol, puis ajouter le fromage. Remuer.

Façonner des boulettes avec la préparation, puis les piquer sur des brochettes.

Déposer les brochettes sur une plaque de cuisson tapissée de papier parchemin. Cuire au four de 18 à 20 minutes, en retournant les brochettes à mi-cuisson.

PAR PORTION	
Calories	308
Protéines	15 g
Matières grasses	11 g
Glucides	37 g
Fibres	6 g
Fer	3 mg
Calcium	247 mg
Sodium	232 mg

Idée pour accompagner

Légumes rôtis à l'indienne

Dans un grand bol, mélanger 15 ml (1 c. à soupe) de cari avec 10 ml (2 c. à thé) de grains de coriandre, 5 ml (1 c. à thé) de grains de cumin, 5 ml (1 c. à thé) de curcuma et 30 ml (2 c. à soupe) d'huile de canola. Ajouter 3 carottes émincées, 2 courgettes coupées en cubes, ½ chou-fleur coupé en bouquets et 12 pommes de terre grelots coupées en deux. Saler et poivrer. Remuer et déposer les légumes sur une plaque de cuisson tapissée de papier d'aluminium. Cuire au four de 30 à 35 minutes à 205 °C (400 °F).

Œufs merveilleux

Véritables trésors nutritifs, les œufs nous rendent la vie facile. Brouillés, cuits dur ou pochés, en omelette ou en cassolette, dans une quiche ou une salade, ces merveilleux cocos se déclinent en une infinité de recettes simples et goûteuses qui plaisent à tous, végétariens inclus!

Frittata aux légumes et fromage en grains

Préparation : **15 minutes** • Cuisson : **19 minutes** • Quantité : **4 portions**

3 demi-poivrons ❶
de couleurs variées coupés en dés

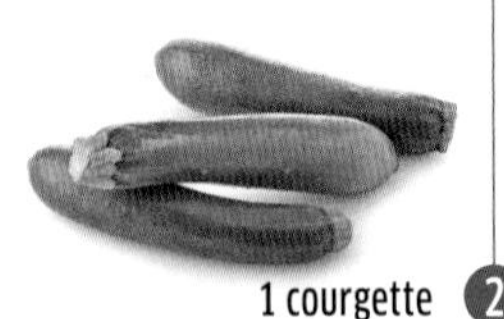

1 courgette ❷
coupée en demi-rondelles

Assaisonnements italiens ❸
10 ml (2 c. à thé)

8 œufs ❹
battus

Fromage en grains ❺
180 ml (¾ de tasse)

PRÉVOIR AUSSI :

- **1 petit oignon** haché
- **Ail** haché 10 ml (2 c. à thé)

Préparation

Préchauffer le four à 205 °C (400 °F).

Dans une grande poêle antiadhésive allant au four, chauffer un peu d'huile d'olive à feu moyen. Cuire les poivrons, l'oignon et l'ail de 2 à 3 minutes.

Ajouter la courgette et poursuivre la cuisson 2 minutes.

Incorporer les assaisonnements italiens, puis verser les œufs. Saler et poivrer. Garnir de fromage en grains.

Cuire au four de 15 à 20 minutes, jusqu'à ce que les œufs soient pris.

PAR PORTION	
Calories	311
Protéines	20 g
Matières grasses	20 g
Glucides	12 g
Fibres	2 g
Fer	2 mg
Calcium	246 mg
Sodium	324 mg

À découvrir

La frittata

Heureux mélange entre l'omelette, le gratin et la quiche sans croûte, la frittata est un mets qui fait partie du répertoire de la cuisine traditionnelle italienne. Rapide à préparer, ce plat présente aussi l'avantage de se décliner en une multitude de variantes, et surtout, de s'adapter au contenu de notre frigo !

Pâte à tarte ❶
250 g (environ ½ lb)

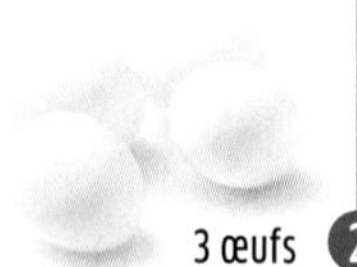

3 œufs ❷

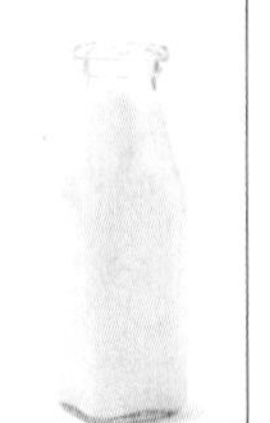

Lait 2 % ❸
330 ml (1 ⅓ tasse)

Fromage suisse ❹
râpé
250 ml (1 tasse)

10 à 12 asperges ❺
coupées en tronçons

PRÉVOIR AUSSI :
➤ **Oignons verts**
hachés
60 ml (¼ de tasse)

Quiche aux asperges et fromage

Préparation : **15 minutes** • Cuisson : **45 minutes** • Quantité : **4 portions**

Préparation

Préchauffer le four à 205 °C (400 °F).

Sur une surface farinée, abaisser la pâte en un cercle de 25 cm (10 po) de diamètre. Déposer la pâte dans un moule à tarte de 23 cm (9 po).

Dans un bol, fouetter les œufs avec le lait et les oignons verts. Saler et poivrer.

Répartir le fromage et les asperges au fond de l'abaisse de pâte. Couvrir de la préparation aux œufs.

Cuire au four de 45 à 50 minutes, jusqu'à ce que les œufs soient pris.

PAR PORTION	
Calories	493
Protéines	20 g
Matières grasses	28 g
Glucides	38 g
Fibres	2 g
Fer	2 mg
Calcium	372 mg
Sodium	316 mg

Idée pour accompagner

Salade de rubans de concombres et fraises

À l'aide d'une mandoline, couper 4 mini-concombres en fins rubans. Émincer 10 fraises. Dans un saladier, fouetter 80 ml (⅓ de tasse) d'huile d'olive avec 15 ml (1 c. à soupe) de jus de citron, 30 ml (2 c. à soupe) de persil haché et 15 ml (1 c. à soupe) de coriandre hachée. Saler et poivrer. Ajouter les rubans de concombres, les fraises et 125 ml (½ tasse) d'amandes tranchées. Remuer délicatement.

Salade aux œufs

Préparation : **15 minutes** • Cuisson : **10 minutes** • Quantité : **4 portions**

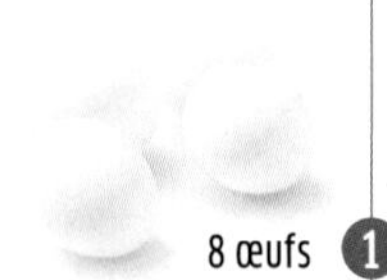

8 œufs ❶

Yogourt nature 0 % ❷
60 ml (¼ de tasse)

Laitue romaine ❸
déchiquetée
1 litre (4 tasses)

½ petit oignon rouge ❹
émincé

Céleri ❺
2 branches émincées

PRÉVOIR AUSSI :
➤ **Mayonnaise**
80 ml (⅓ de tasse)
➤ **Vinaigre de vin rouge**
20 ml (4 c. à thé)

FACULTATIF :
➤ **1 poivron rouge**
coupé en lanières

Préparation

Dans une casserole, déposer les œufs et couvrir d'eau froide. Porter à ébullition, puis cuire 10 minutes à feu moyen. Refroidir immédiatement sous l'eau froide et égoutter. Écaler les œufs, puis les couper en quartiers.

Dans un saladier, fouetter le yogourt avec la mayonnaise et le vinaigre de vin rouge.

Ajouter le reste des ingrédients dans le saladier. Saler, poivrer et remuer délicatement.

PAR PORTION	
Calories	327
Protéines	15 g
Matières grasses	26 g
Glucides	8 g
Fibres	2 g
Fer	2 mg
Calcium	114 mg
Sodium	274 mg

Astuce 5•15

Laver la laitue romaine à l'avance

Pour gagner du temps, nettoyez la laitue romaine à l'avance! Et ne vous inquiétez pas: puisque sa texture est ferme, elle ne s'affaissera pas après être passée sous l'eau. La laitue romaine se conservera ainsi jusqu'à cinq jours au frigo dans des sacs hermétiques conçus pour la conservation des fruits et des légumes (sacs microperforés de type Ziploc). Il suffit ensuite d'y ajouter la vinaigrette et les ingrédients de votre choix pour obtenir une savoureuse salade vite faite!

Quiche aux champignons et poireaux

Préparation : **15 minutes** • Cuisson : **40 minutes** • Quantité : **4 portions**

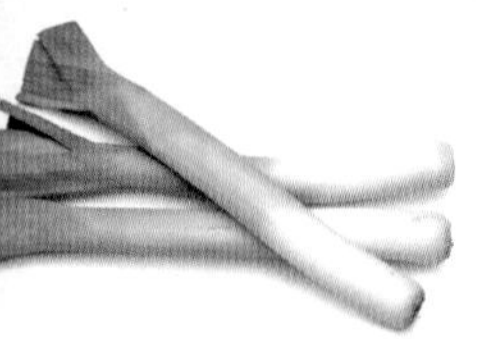

Poireaux ❶
tranchés
1 sac de 250 g
(ou 2 blancs de poireaux émincés)

10 champignons ❷
émincés

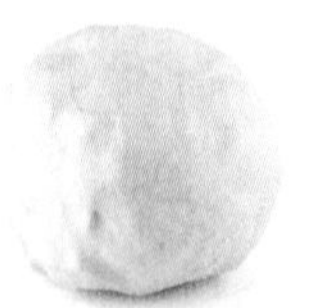

Pâte à tarte ❸
du commerce
300 g (⅔ de lb)

5 œufs ❹

Gruyère ❺
râpé
375 ml (1 ½ tasse)

PRÉVOIR AUSSI :

- **Huile d'olive**
  30 ml (2 c. à soupe)
- **Lait 2 %**
  250 ml (1 tasse)

Préparation

PAR PORTION	
Calories	732
Protéines	29 g
Matières grasses	47 g
Glucides	48 g
Fibres	3 g
Fer	3 mg
Calcium	584 mg
Sodium	676 mg

Préchauffer le four à 180 °C (350 °F).

Dans une poêle, chauffer l'huile à feu moyen.
Cuire les poireaux et les champignons de 2 à 3 minutes.
Retirer du feu et laisser tiédir.

Sur une surface farinée, abaisser la pâte en un cercle de 30 cm (12 po) de diamètre. Déposer la pâte dans un moule à tarte à fond amovible de 25 cm (10 po).

Dans un bol, fouetter les œufs avec le gruyère et le lait.
Saler et poivrer.

Déposer le mélange aux poireaux au fond de l'abaisse de pâte. Couvrir de la préparation aux œufs.

Cuire au four de 40 à 45 minutes.

Version maison

Pâte à tarte

Dans un bol, mélanger 625 ml (2 ½ tasses) de farine avec 250 g (environ ½ lb) de beurre en défaisant le beurre à l'aide d'un coupe-pâte ou de deux couteaux jusqu'à l'obtention d'une texture granuleuse. Ajouter graduellement 125 ml (½ tasse) d'eau et mélanger jusqu'à ce que la pâte se tienne. Former une boule avec la pâte. Emballer la pâte dans une pellicule plastique et la réfrigérer 1 heure avant de l'abaisser sur une surface farinée.

Muffins anglais express aux œufs

Préparation : **15 minutes** • Cuisson : **4 minutes** • Quantité : **4 portions**

8 œufs ❶

Fromage à la crème ❷
coupé en dés
½ contenant de 250 g

Bébés épinards ❸
250 ml (1 tasse)

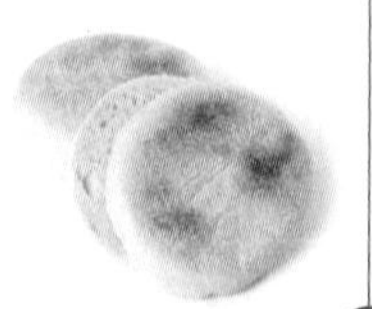

4 muffins anglais ❹

1 tomate ❺
coupée en huit rondelles

PRÉVOIR AUSSI :
➤ **2 oignons verts** émincés

FACULTATIF :
➤ **Ciboulette** hachée
30 ml (2 c. à soupe)

Préparation

Dans un bol, fouetter les œufs avec le fromage à la crème, les oignons verts et, si désiré, la ciboulette. Saler et poivrer.

Beurrer quatre ramequins de même diamètre que celui des muffins anglais. Couvrir le fond des ramequins de bébés épinards. Répartir le mélange d'œufs dans les ramequins.

Cuire chacun des ramequins au micro-ondes 1 minute à puissance élevée, jusqu'à ce que les œufs soient pris.

Trancher les muffins anglais en deux sur l'épaisseur. Démouler les œufs et les déposer sur la moitié des tranches de muffins. Garnir de tranches de tomates, puis couvrir du reste des demi-muffins anglais.

PAR PORTION	
Calories	402
Protéines	20 g
Matières grasses	22 g
Glucides	30 g
Fibres	3 g
Fer	4 mg
Calcium	186 mg
Sodium	498 mg

Option santé

Allégez cette recette grâce à la ricotta

Pour alléger ces muffins express, remplacez une partie du fromage à la crème par de la ricotta ! Pour ce faire, mélangez simplement 80 ml (⅓ de tasse) de fromage à la crème avec 60 ml (¼ de tasse) de ricotta. Ce dernier possède une faible teneur en matières grasses, soit environ 10 %. Et comme le goût de ce fromage est discret, vous obtiendrez un résultat similaire tout en ajoutant du calcium à votre repas : génial !

Omelette chou kale et feta

Préparation : **15 minutes** • Cuisson : **27 minutes** • Quantité : **4 portions**

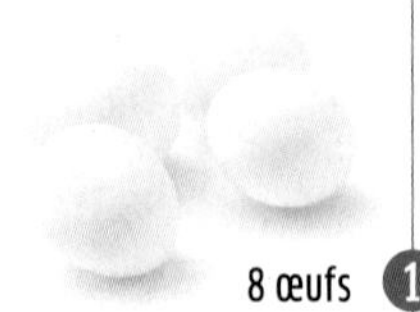

8 œufs ①

Feta ②
égouttée et émiettée
1 contenant de 200 g

Chou kale ③
émincé
375 ml (1 ½ tasse)

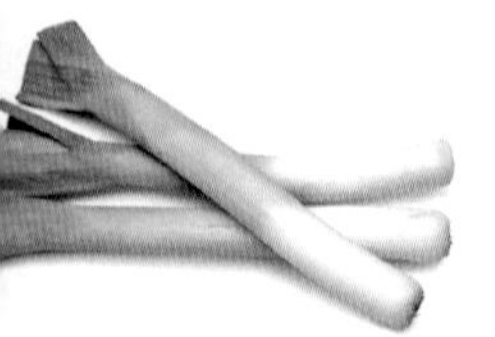

1 petit poireau ④
émincé

18 tomates cerises ⑤
de couleurs variées
coupées en deux

PRÉVOIR AUSSI :

➤ **Ail**
haché
15 ml (1 c. à soupe)

FACULTATIF :

➤ **Persil**
haché
30 ml (2 c. à soupe)

➤ **Basilic**
haché
30 ml (2 c. à soupe)

Préparation

Préchauffer le four à 190 °C (375 °F).

Dans un bol, fouetter les œufs avec la feta et, si désiré, les fines herbes. Poivrer.

Dans une grande poêle allant au four, chauffer un peu d'huile d'olive à feu moyen. Cuire le chou kale, le poireau et l'ail de 2 à 3 minutes, jusqu'à tendreté.

Verser la préparation aux œufs dans la poêle. Parsemer de tomates cerises. Cuire au four de 25 à 30 minutes, jusqu'à ce que la préparation soit prise.

PAR PORTION	
Calories	360
Protéines	22 g
Matières grasses	25 g
Glucides	13 g
Fibres	2 g
Fer	3 mg
Calcium	359 mg
Sodium	711 mg

Idée pour accompagner

Rubans de carottes, panais et asperges rôtis aux grains de cumin

À l'aide d'un économe ou d'une mandoline, couper en rubans 2 carottes et 2 panais. Couper 12 asperges en deux sur la longueur. Sur une plaque de cuisson tapissée de papier parchemin, déposer les légumes. Parsemer de 5 ml (1 c. à thé) de grains de cumin, de 30 ml (2 c. à soupe) de persil haché et de 80 ml (⅓ de tasse) d'amandes tranchées. Arroser avec 30 ml (2 c. à soupe) d'huile d'olive. Saler, poivrer et remuer délicatement. Cuire au four de 8 à 10 minutes à 190 °C (375 °F), en prenant soin de conserver les légumes légèrement *al dente*.

Omelette du jardin

Préparation : **15 minutes** • Cuisson : **14 minutes** • Quantité : **4 portions**

1 poivron rouge ①

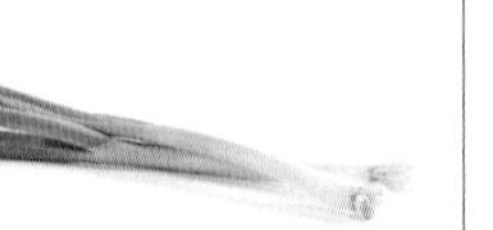

1 courgette ②

2 oignons verts ③

8 gros œufs ④

Fromage crémeux ⑤
de type La vache qui rit
4 pointes de 16 g
chacune

PRÉVOIR AUSSI :
➤ **Huile d'olive**
30 ml (2 c. à soupe)

FACULTATIF :
➤ **Ciboulette**
hachée
30 ml (2 c. à soupe)

Préparation

Préchauffer le four à 65 °C (150 °F).

Couper le poivron et la courgette en dés. Émincer les oignons verts.

Dans une poêle, chauffer la moitié de l'huile d'olive à feu moyen. Cuire les légumes de 2 à 3 minutes. Saler et poivrer. Réserver les légumes dans une assiette et couvrir pour les garder chauds.

Dans la même poêle, chauffer un peu de l'huile d'olive restante à feu moyen. Battre deux œufs dans un petit bol et verser dans la poêle. Saler et poivrer. Cuire de 3 à 4 minutes, jusqu'à ce que les œufs soient pris.

Déposer le quart des légumes et une pointe de fromage au centre de l'omelette. Rabattre deux côtés de l'omelette vers le centre. Déposer dans un plat de cuisson et réserver au four.

Répéter les deux étapes précédentes pour les trois autres omelettes.

Si désiré, parsemer les omelettes de ciboulette au moment de servir.

PAR PORTION	
Calories	277
Protéines	15 g
Matières grasses	21 g
Glucides	7 g
Fibres	1 g
Fer	2 mg
Calcium	165 mg
Sodium	139 mg

Idée pour accompagner

Assiette de tomates, bocconcinis et basilic

Dans un bol, fouetter 15 ml (1 c. à soupe) de moutarde de Dijon avec 15 ml (1 c. à soupe) de miel, 10 ml (2 c. à thé) de zestes de citron, 30 ml (2 c. à soupe) de jus de citron et 80 ml (⅓ de tasse) d'huile d'olive. Saler et poivrer. Émincer 4 tomates, le contenu de 1 contenant de bocconcinis de 200 g et ½ oignon rouge. Dans un plat de service, disposer les tranches de tomates et les tranches de bocconcinis. Parsemer d'oignon rouge et de quelques copeaux de parmesan. Napper de vinaigrette et décorer de quelques feuilles de basilic.

Œufs pochés sur salade tiède d'asperges

Préparation : **15 minutes** • Cuisson : **6 minutes** • Quantité : **4 portions**

8 œufs ❶

12 asperges ❷
coupées en morceaux

Courge Butternut ❸
pelée et taillée en julienne
500 ml (2 tasses)

Noix de Grenoble ❹
hachées
80 ml (⅓ de tasse)

Confit d'oignons ❺
125 ml (½ tasse)

PRÉVOIR AUSSI :

➤ **Vinaigre blanc**
15 ml (1 c. à soupe)

➤ **Huile d'olive**
60 ml (¼ de tasse)

Préparation

Dans une casserole, porter à ébullition 2 litres (8 tasses) d'eau avec le vinaigre. Réduire l'intensité du feu pour que l'eau frémisse doucement.

Casser chacun des œufs dans une tasse. Faire glisser doucement les œufs dans l'eau, puis éteindre le feu et couvrir la casserole. Laisser cuire de 3 à 4 minutes.

Déposer les œufs sur du papier absorbant.

Dans une poêle, chauffer l'huile d'olive à feu moyen. Cuire les asperges et la courge de 3 à 4 minutes en remuant. Ajouter les noix. Saler, poivrer et remuer.

Répartir la préparation aux asperges dans quatre assiettes. Garnir chacune des portions de deux œufs pochés et de confit d'oignons.

PAR PORTION	
Calories	394
Protéines	16 g
Matières grasses	32 g
Glucides	12 g
Fibres	3 g
Fer	3 mg
Calcium	91 mg
Sodium	137 mg

Idée pour accompagner

Sauce à l'estragon et sirop d'érable

Fouetter 125 ml (½ tasse) de crème sure avec 30 ml (2 c. à soupe) de sirop d'érable, 15 ml (1 c. à soupe) de jus de citron et 30 ml (2 c. à soupe) d'estragon haché. Saler et poivrer.

Œufs au nid

Préparation : **15 minutes** • Cuisson : **33 minutes** • Quantité : **4 portions**

1 — 6 pommes de terre
pelées et coupées en cubes

2 — Lait 2 %
60 ml (¼ de tasse)

3 — Cheddar jaune
râpé
160 ml (⅔ de tasse)

4 — Ciboulette
hachée
30 ml (2 c. à soupe)

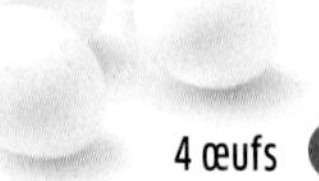

5 — 4 œufs

Préparation

Préchauffer le four à 205 °C (400 °F).

Déposer les pommes de terre dans une casserole. Couvrir d'eau froide et saler. Porter à ébullition, puis cuire de 18 à 20 minutes, jusqu'à tendreté. Égoutter. Réduire en purée avec le lait, le cheddar, la ciboulette et le beurre. Saler et poivrer.

À l'aide d'une poche à pâtisserie munie d'une douille cannelée, répartir la purée de pommes de terre sur le pourtour de quatre ramequins beurrés. Si désiré, saupoudrer de paprika fumé.

Au centre de chaque ramequin, casser un œuf.

Cuire au four de 15 à 20 minutes.

PAR PORTION	
Calories	342
Protéines	15 g
Matières grasses	18 g
Glucides	31 g
Fibres	3 g
Fer	2 mg
Calcium	205 mg
Sodium	276 mg

Idée pour accompagner

Salade romaine au bacon végé

Dans un saladier, mélanger 60 ml (¼ de tasse) d'huile d'olive avec 15 ml (1 c. à soupe) de vinaigre de cidre. Ajouter 500 ml (2 tasses) de laitue romaine déchiquetée, 80 ml (⅓ de tasse) de bacon végétalien (de type Yves Veggie Cuisine) cuit et coupé en morceaux et 250 ml (1 tasse) de croûtons. Saler, poivrer et remuer.

PRÉVOIR AUSSI :
➤ **Beurre**
30 ml (2 c. à soupe)

FACULTATIF :
➤ **Paprika fumé**
2,5 ml (½ c. à thé)

Salade de pommes de terre et œufs

Préparation : **15 minutes** • Cuisson : **15 minutes** • Quantité : **4 portions**

Pommes de terre grelots ①
coupées en quatre
900 g (environ 2 lb)

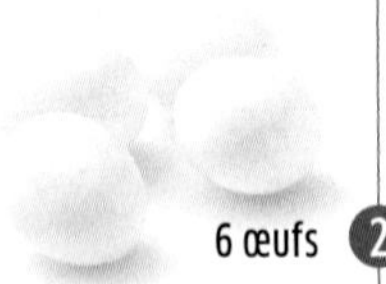

6 œufs ②

Yogourt nature 0 % ③
80 ml (⅓ de tasse)

Moutarde à l'ancienne ④
30 ml (2 c. à soupe)

Céleri ⑤
1 branche émincée

PRÉVOIR AUSSI :

➤ **Mayonnaise**
80 ml (⅓ de tasse)

➤ **1 petit oignon rouge**
émincé

FACULTATIF :

➤ **Persil**
haché
60 ml (¼ de tasse)

Préparation

Déposer les pommes de terre dans une casserole et couvrir d'eau froide. Saler et porter à ébullition, puis cuire 15 minutes, jusqu'à tendreté. Égoutter, puis rincer sous l'eau froide. Égoutter de nouveau et réserver.

Pendant ce temps, déposer les œufs dans une autre casserole et couvrir d'eau froide. Porter à ébullition, puis cuire 10 minutes à feu moyen. Refroidir immédiatement sous l'eau froide et égoutter. Écaler les œufs, puis les couper en quatre.

Dans un saladier, mélanger le yogourt avec la moutarde à l'ancienne, la mayonnaise, l'oignon rouge, le céleri et, si désiré, le persil. Saler et poivrer.

Ajouter les pommes de terre et les œufs cuits dur dans le saladier. Remuer délicatement.

PAR PORTION	
Calories	453
Protéines	16 g
Matières grasses	23 g
Glucides	45 g
Fibres	4 g
Fer	3 mg
Calcium	122 mg
Sodium	399 mg

Astuce 5•15

Faites des réserves d'œufs cuits dur !

Les œufs cuits dur s'avèrent de bons alliés pour créer des repas express et rassasiants. Faciles à apprêter et source de protéines complètes, ils se dégustent en sandwichs, en salades ou tels quels. Il est donc très pratique d'en avoir toujours sous la main ! Comme ils se gardent jusqu'à sept jours au réfrigérateur, faites-les cuire à l'avance en quantité suffisante pour vos lunchs et à-côtés. Veillez toutefois à inscrire la date de cuisson sur la coquille avant de ranger les œufs cuits dur dans un contenant hermétique.

4 œufs ❶

Bébés épinards ❷
1 contenant de 142 g

Sauce Alfredo ❸
250 ml (1 tasse)

Purée de pommes de terre ❹
500 ml (2 tasses)

Fromage suisse ❺
râpé
250 ml (1 tasse)

PRÉVOIR AUSSI :

- **1 oignon** haché
- **Paprika** 5 ml (1 c. à thé)

Cassolettes de pommes de terre, épinards et œufs

Préparation : **15 minutes** • Cuisson : **27 minutes** • Quantité : **4 portions**

Préparation

Préchauffer le four à 190 °C (375 °F).

Dans une casserole, déposer les œufs et couvrir d'eau froide. Porter à ébullition, puis cuire 10 minutes à feu moyen. Refroidir immédiatement sous l'eau froide et égoutter. Écaler les œufs, puis les trancher.

Dans une poêle, faire fondre un peu de beurre à feu doux-moyen. Faire dorer l'oignon de 1 à 2 minutes.

Ajouter les bébés épinards et cuire 1 minute.

Beurrer quatre cassolettes ou ramequins, puis y répartir la préparation aux épinards et les œufs cuits dur. Couvrir de sauce Alfredo, de purée de pommes de terre et de fromage. Saupoudrer de paprika.

Cuire au four de 15 à 20 minutes.

PAR PORTION	
Calories	427
Protéines	18 g
Matières grasses	27 g
Glucides	28 g
Fibres	3 g
Fer	2 mg
Calcium	341 mg
Sodium	894 mg

Pour varier

Repensez la purée !

Pour renouveler cette recette en un tournemain, il suffit de jazzer la purée ! En effet, bien que les pommes de terre soient les vedettes de cette onctueuse préparation, plusieurs autres options s'offrent à vous : chou-fleur, céleri-rave, patate douce... À vous de voir la meilleure façon de donner à cette recette une toute nouvelle allure !

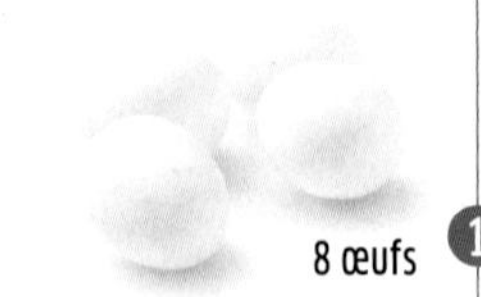

8 œufs ①

Aneth ②
haché
30 ml (2 c. à soupe)

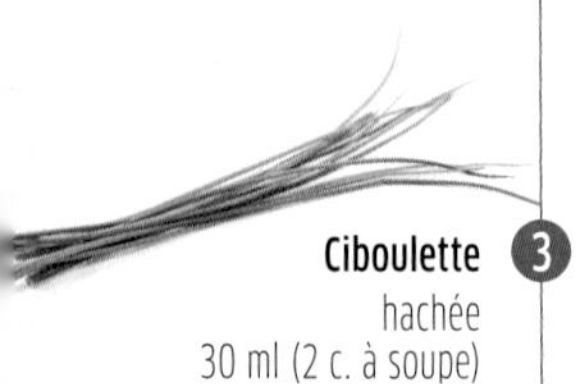

Ciboulette ③
hachée
30 ml (2 c. à soupe)

½ poivron rouge ④
coupé en dés

Fromage Oka ⑤
coupé en dés
125 g (environ ¼ de lb)

PRÉVOIR AUSSI :
➤ ½ oignon
haché

Œufs brouillés aux fines herbes et fromage

Préparation : **15 minutes** • Cuisson : **3 minutes** • Quantité : **4 portions**

Préparation

Dans un bol, fouetter les œufs avec les fines herbes. Saler et poivrer.

Dans une poêle, faire fondre un peu de beurre à feu moyen. Cuire le poivron et l'oignon 2 minutes.

Ajouter les œufs et cuire en remuant jusqu'à ce qu'ils soient crémeux.

Ajouter le fromage Oka. Cuire 1 minute, jusqu'à ce que le fromage fonde.

PAR PORTION	
Calories	334
Protéines	20 g
Matières grasses	26 g
Glucides	5 g
Fibres	1 g
Fer	2 mg
Calcium	281 mg
Sodium	372 mg

Idée pour accompagner

Salade de mâche au bacon végé

Dans un saladier, mélanger 60 ml (¼ de tasse) d'huile d'olive avec 15 ml (1 c. à soupe) de jus de citron et 15 ml (1 c. à soupe) de pesto aux tomates séchées. Ajouter 80 ml (⅓ de tasse) de bacon végétalien (de type Yves Veggie Cuisine) cuit et haché et 500 ml (2 tasses) de mâche. Remuer.

Haricots et lentilles

One pot à la mexicaine, dhal indien, courge spaghetti gratinée aux haricots rouges, aubergines farcies à la grecque, étagé de légumes aux lentilles... Ce ne sont là que quelques-uns des plats végé qui promettent de vous faire voir (et apprécier !) ces colorées légumineuses autrement !

Soupe aux lentilles à l'italienne

Préparation : **15 minutes** • Cuisson : **55 minutes** • Quantité : **de 4 à 6 portions**

Mélange de légumes frais pour soupe ①
750 ml (3 tasses)

Jus de tomate ②
1 litre (4 tasses)

Bouillon de légumes ③
500 ml (2 tasses)

Lentilles brunes ou vertes sèches ④
rincées et égouttées
250 ml (1 tasse)

Roquette ⑤
hachée
125 ml (½ tasse)

PRÉVOIR AUSSI :

> **Parmesan**
râpé
160 ml (⅔ de tasse)

FACULTATIF :

> **Ail**
haché
15 ml (1 c. à soupe)

> **Thym**
quelques tiges

Préparation

Dans une casserole, chauffer un peu d'huile d'olive à feu moyen. Cuire le mélange de légumes et, si désiré, l'ail de 4 à 5 minutes.

Ajouter le jus de tomate, le bouillon, les lentilles et, si désiré, le thym. Saler et poivrer. Laisser mijoter de 50 minutes à 1 heure à feu doux, jusqu'à ce que les lentilles soient cuites. Retirer les tiges de thym.

Au moment de servir, garnir de roquette et de parmesan.

PAR PORTION	
Calories	252
Protéines	15 g
Matières grasses	6 g
Glucides	37 g
Fibres	7 g
Fer	4 mg
Calcium	169 mg
Sodium	916 mg

Idée pour accompagner

Croûtons gratinés César

Couper ½ baguette de pain ciabatta en douze tranches fines. Badigeonner les tranches d'un seul côté de 80 ml (⅓ de tasse) de vinaigrette César. Parsemer de 30 ml (2 c. à soupe) de ciboulette hachée, de 30 ml (2 c. à soupe) de bacon végétalien cuit coupé en morceaux et de 80 ml (⅓ de tasse) de parmesan râpé. Déposer les croûtons sur une plaque de cuisson tapissée de papier parchemin. Faire griller au four de 2 à 3 minutes à la position « gril » (*broil*).

Croustilles de maïs ①
1 sac de 300 g

Salsa ②
1 pot de 430 ml

Haricots noirs ③
rincés et égouttés
1 boîte de 540 ml

Maïs en grains ④
125 ml (½ tasse)

Mélange de fromages râpés ⑤
de type tex-mex
375 ml (1 ½ tasse)

PRÉVOIR AUSSI :
➤ **Oignons verts**
hachés
60 ml (¼ de tasse)

Nacho gratiné aux haricots noirs

Préparation : **15 minutes** • Cuisson : **9 minutes** • Quantité : **4 portions**

Préparation

Préchauffer le four à 205 °C (400 °F).

Sur une plaque de cuisson tapissée de papier parchemin, déposer les croustilles. Garnir de salsa, de haricots noirs, de maïs en grains et de fromage. Cuire au four de 7 à 8 minutes.

Régler le four à la position « gril » (*broil*) et poursuivre la cuisson de 2 à 3 minutes, jusqu'à ce que le fromage soit gratiné.

Au moment de servir, garnir d'oignons verts.

PAR PORTION	
Calories	668
Protéines	24 g
Matières grasses	27 g
Glucides	86 g
Fibres	13 g
Fer	4 mg
Calcium	166 mg
Sodium	1 374 mg

Idée pour accompagner

Crème sure épicée lime et coriandre

Mélanger 125 ml (½ tasse) de crème sure avec 30 ml (2 c. à soupe) de coriandre hachée, 1 jalapeño haché et 45 ml (3 c. à soupe) de zestes de lime. Saler.

Courge spaghetti gratinée aux haricots rouges

Préparation : 15 minutes • Cuisson : 55 minutes • Quantité : 4 portions

1. **2 petites courges spaghetti**

2. **Haricots rouges** rincés et égouttés 1 boîte de 540 ml

3. **3 demi-poivrons** de couleurs variées coupés en dés

4. **Sauce tomate aux fines herbes** 375 ml (1 ½ tasse)

5. **Mélange de quatre fromages italiens râpés** 500 ml (2 tasses)

PRÉVOIR AUSSI :

- **Huile d'olive** 30 ml (2 c. à soupe)
- **1 oignon** haché
- **Basilic** émincé 30 ml (2 c. à soupe)

FACULTATIF :

- **2 tomates** coupées en dés

Préparation

Préchauffer le four à 190 °C (375 °F).

Couper les courges spaghetti en deux sur la longueur. Retirer les graines et les filaments.

Déposer les courges sur une plaque de cuisson, côté coupé vers le haut. Arroser de la moitié de l'huile d'olive. Saler et poivrer.

Cuire au four de 40 à 45 minutes, jusqu'à ce que la chair des courges s'effiloche facilement à la fourchette.

Dans une poêle, chauffer le reste de l'huile à feu moyen. Cuire l'oignon 1 minute.

Ajouter les haricots rouges, les poivrons, la sauce tomate, le basilic et, si désiré, les tomates. Porter à ébullition. Saler et poivrer.

Répartir la préparation aux haricots dans les demi-courges. Couvrir de fromage. Cuire au four 15 minutes.

PAR PORTION	
Calories	541
Protéines	26 g
Matières grasses	22 g
Glucides	65 g
Fibres	13 g
Fer	5 mg
Calcium	494 mg
Sodium	680 mg

Astuce 5•15

On cuit la courge spaghetti au micro-ondes !

Cuire une courge spaghetti au micro-ondes, c'est possible ? Eh oui ! Vous pourriez même économiser de précieuses minutes de cuisson en utilisant cette méthode plutôt que celle au four ! Il suffit de couper la courge spaghetti en deux, de retirer ses graines et ses filaments, puis de la placer côté coupé vers le bas dans un plat allant au micro-ondes. Faites-la ensuite cuire de 10 à 15 minutes au micro-ondes, et le tour est joué !

Pitas aux légumineuses

Préparation : **10 minutes** • Quantité : **4 portions**

Cœurs de palmier ❶
égouttés
2 boîtes de 540 ml chacune

Mélange de légumineuses ❷
rincées et égouttées
1 boîte de 540 ml

Vinaigrette grecque ❸
80 ml (⅓ de tasse)

Pitas de blé entier ❹
4 petits

Tzatziki ❺
160 ml (⅔ de tasse)

PRÉVOIR AUSSI :

- **½ petit oignon rouge** haché
- **Laitue frisée verte** 16 feuilles

FACULTATIF :

- **Basilic** haché 60 ml (¼ de tasse)

Préparation

Couper les cœurs de palmier en rondelles.

Dans un bol, mélanger les légumineuses avec les cœurs de palmier, la vinaigrette, l'oignon rouge et, si désiré, le basilic. Saler et poivrer.

Couper les pitas en deux.

Garnir l'intérieur de chaque demi-pita de deux feuilles de laitue, de tzatziki et du mélange de légumineuses.

PAR PORTION	
Calories	352
Protéines	15 g
Matières grasses	11 g
Glucides	50 g
Fibres	11 g
Fer	6 mg
Calcium	169 mg
Sodium	1 080 mg

Idée pour accompagner

Salade d'asperges, tomates et feta

Dans une casserole d'eau bouillante salée, blanchir 10 asperges coupées en morceaux. Rafraîchir sous l'eau très froide. Égoutter. Dans un saladier, mélanger 60 ml (¼ de tasse) d'huile d'olive avec 30 ml (2 c. à soupe) de vinaigre de riz et 30 ml (2 c. à soupe) de ciboulette hachée. Saler et poivrer. Ajouter les asperges, le contenu de 1 contenant de feta de 200 g émiettée et 500 ml (2 tasses) de tomates cerises de couleurs variées coupées en deux. Remuer.

Dhal indien

Préparation : **15 minutes** • Cuisson : **32 minutes** • Quantité : **de 4 à 6 portions**

Gingembre ①
haché
10 ml (2 c. à thé)

Cumin ②
2,5 ml (½ c. à thé)

Curcuma ③
5 ml (1 c. à thé)

Bouillon de légumes ④
1 litre (4 tasses)

Lentilles corail (ou rouges) sèches ⑤
rincées et égouttées
500 ml (2 tasses)

PRÉVOIR AUSSI :

➤ **1 oignon**
haché

➤ **Ail**
haché
30 ml (2 c. à soupe)

FACULTATIF :

➤ **Coriandre**
hachée
15 ml (1 c. à soupe)

Préparation

Dans une casserole, chauffer un peu d'huile de canola à feu moyen. Faire revenir l'oignon avec l'ail, le gingembre, le cumin et le curcuma de 2 à 3 minutes.

Ajouter le bouillon de légumes et les lentilles. Saler et poivrer. Couvrir et laisser mijoter de 30 à 35 minutes, jusqu'à ce que les lentilles soient tendres.

Si désiré, garnir chaque portion de coriandre.

PAR PORTION	
Calories	296
Protéines	18 g
Matières grasses	6 g
Glucides	44 g
Fibres	8 g
Fer	5 mg
Calcium	36 mg
Sodium	450 mg

À découvrir

Le dhal

Pas de doute, la présence de curcuma, de cumin et de coriandre confirme l'origine indienne du dhal ! À base de lentilles corail, ce mets très aromatique et relevé envoûte les narines et les papilles. Quand on a envie de manger végétarien, il s'agit d'une recette tout indiquée ! Proposez le dhal avec du pain naan, au goût légèrement fumé, typique de la cuisine indienne.

Boulgour aux courges et légumineuses

Préparation : **15 minutes** • Temps de repos : **25 minutes** • Cuisson : **22 minutes** • Quantité : **6 portions**

Bouillon de légumes ①
réduit en sodium
1,25 litre (5 tasses)

Boulgour ②
180 ml (¾ de tasse)

1 courge Butternut ③

2 courgettes ④

Mélange de légumineuses ⑤
rincées et égouttées
2 boîtes de 540 ml chacune

PRÉVOIR AUSSI :
> **1 oignon** haché
> **Cari** 10 ml (2 c. à thé)

FACULTATIF :
> **Ail** haché 10 ml (2 c. à thé)
> **Persil** séché 30 ml (2 c. à soupe)

Préparation

Dans une casserole, porter à ébullition le bouillon de légumes.

Dans un bol, déposer le boulgour. Verser 500 ml (2 tasses) de bouillon bouillant sur le boulgour. Couvrir et laisser gonfler de 25 à 30 minutes avant d'égrainer le boulgour à la fourchette.

Pendant ce temps, parer la courge Butternut et la couper en petits dés, puis couper les courgettes en dés.

Dans une casserole, chauffer un peu d'huile d'olive à feu moyen. Faire dorer l'oignon de 2 à 3 minutes.

Ajouter le cari et, si désiré, l'ail. Verser le reste du bouillon et remuer. Couvrir et laisser mijoter 15 minutes à feu moyen.

Ajouter la courge Butternut, les courgettes, le boulgour, le mélange de légumineuses et, si désiré, le persil. Saler et poivrer. Couvrir de nouveau et laisser mijoter de 5 à 6 minutes, jusqu'à ce que les dés de courge soient tendres.

PAR PORTION	
Calories	353
Protéines	19 g
Matières grasses	3 g
Glucides	67 g
Fibres	16 g
Fer	5 mg
Calcium	230 mg
Sodium	363 mg

À découvrir

Les mille et une qualités des courges

Très polyvalentes, les courges d'hiver (Butternut, spaghetti, citrouille...) se laissent cuisiner à toutes les sauces. En potage, en purée, en gratin, dans les muffins ou rôties au four : toutes ces délicieuses façons de les apprêter font partie de leur vaste répertoire ! Entre autres avantages, elles se conservent plusieurs mois et sont très nutritives. Riches en bêta-carotène, en folates, en vitamine C et en fibres, les courges sont des trésors à découvrir !

Recette de Christine Lacroix, nutritionniste. Photo boulgour : Shutterstock.

Aubergines farcies à la grecque

Préparation : **15 minutes** • Cuisson : **55 minutes** • Quantité : **4 portions**

Lentilles brunes ou vertes sèches ①
rincées et égouttées
250 ml (1 tasse)

2 aubergines ②

4 tomates ③
coupées en dés

Noix de pin ④
45 ml (3 c. à soupe)

Riz blanc à grains longs ⑤
cuit
250 ml (1 tasse)

PRÉVOIR AUSSI :
- **Huile d'olive** 80 ml (⅓ de tasse)
- **1 oignon** haché

FACULTATIF :
- **Cannelle** 1 à 2 pincées
- **Persil** haché 45 ml (3 c. à soupe)

Préparation

PAR PORTION	
Calories	557
Protéines	19 g
Matières grasses	24 g
Glucides	72 g
Fibres	17 g
Fer	5 mg
Calcium	82 mg
Sodium	22 mg

Dans une casserole, cuire les lentilles selon les indications de l'emballage. Égoutter et laisser tiédir.

Pendant ce temps, couper les aubergines en deux sur la longueur et les déposer dans une assiette. Saupoudrer la chair de sel et laisser dégorger 15 minutes. Déposer les aubergines dans une passoire, la chair vers le bas, et laisser égoutter de 2 à 3 minutes.

Préchauffer le four à 180 °C (350 °F).

Dans une grande poêle, chauffer 60 ml (¼ de tasse) d'huile à feu moyen. Faire dorer les aubergines quelques minutes de chaque côté. Déposer sur du papier absorbant afin d'éponger l'excédent d'huile. Laisser tiédir.

À l'aide d'une cuillère, évider les aubergines en prenant soin de laisser 0,5 cm (¼ de po) de chair et de ne pas perforer la peau. Couper la chair en dés et réserver les aubergines évidées.

Dans une casserole, chauffer le reste de l'huile à feu moyen. Faire dorer l'oignon 1 à 2 minutes.

Ajouter les dés d'aubergines, les lentilles cuites, les tomates, les noix de pin, le riz cuit et, si désiré, la cannelle et le persil. Laisser mijoter 5 minutes.

Déposer les moitiés d'aubergines évidées sur une plaque de cuisson tapissée de papier parchemin. Garnir de farce aux lentilles. Cuire au four de 30 à 35 minutes.

À découvrir

L'aubergine

L'aubergine apparaît souvent en fin de liste des légumes les plus consommés. Pourtant, elle gagne à être connue ! Dans la cuisine méditerranéenne, elle occupe une place de premier plan en raison de son mariage naturel avec la courgette, la tomate et l'olive. On la choisit pour son goût agréable et sa polyvalence. Frite, farcie ou cuite au four, l'aubergine plaira à coup sûr !

Lentilles brunes ①
rincées et égouttées
1 boîte de 398 ml

Tomates en dés ②
1 boîte de 540 ml

6 pommes de terre ③
pelées et tranchées finement

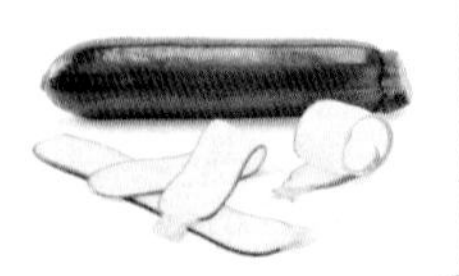

4 courgettes ④
coupées en tranches minces sur la longueur

Provolone ⑤
râpé
250 ml (1 tasse)

PRÉVOIR AUSSI :

- **1 oignon**
  haché
- **Persil**
  haché
  15 ml (1 c. à soupe)

FACULTATIF :

- **2 carottes**
  coupées en dés
- **Céleri**
  1 branche coupée en dés

Étagé de légumes aux lentilles

Préparation : **15 minutes** • Cuisson : **55 minutes** • Quantité : **4 portions**

Préparation

Préchauffer le four à 180 °C (350 °F).

Dans une poêle, chauffer un peu d'huile d'olive à feu moyen. Faire dorer l'oignon quelques minutes.

Ajouter les lentilles, les tomates, le persil et, si désiré, les carottes et le céleri. Saler et poivrer. Laisser mijoter de 10 à 12 minutes.

Beurrer un plat de cuisson carré de 23 cm (9 po) et y déposer la moitié des pommes de terre. Couvrir de la préparation aux lentilles, puis des courgettes et du reste des pommes de terre. Garnir de provolone.

Cuire au four de 45 à 50 minutes, jusqu'à ce que les pommes de terre soient tendres.

PAR PORTION	
Calories	464
Protéines	23 g
Matières grasses	14 g
Glucides	66 g
Fibres	9 g
Fer	7 mg
Calcium	404 mg
Sodium	573 mg

Idée pour accompagner

Salade verte aux tomates et céleri

Dans un saladier, fouetter 45 ml (3 c. à soupe) d'huile d'olive avec 15 ml (1 c. à soupe) de vinaigre de cidre. Ajouter 750 ml (3 tasses) de laitue frisée verte déchiquetée, 12 tomates cerises coupées en deux et 2 branches de céleri émincées. Saler, poivrer et remuer.

Linguines fraîches aux haricots pinto et champignons

Préparation : **15 minutes** • Cuisson : **10 minutes** • Quantité : **6 portions**

Linguines (1)
fraîches
350 g (environ ¾ de lb)

Champignons (2)
émincés
1 contenant de 227 g

Haricots pinto (3)
rincés et égouttés
1 boîte de 540 ml

Vin blanc (4)
125 ml (½ tasse)

Parmesan (5)
râpé
125 ml (½ tasse)

PRÉVOIR AUSSI :

- **Huile d'olive**
  45 ml (3 c. à soupe)
- **3 échalotes sèches** (françaises) émincées
- **Persil plat**
  60 ml (¼ de tasse) de feuilles

FACULTATIF :

- **Basilic**
  émincé
  45 ml (3 c. à soupe)

Préparation

Dans une casserole d'eau bouillante salée, cuire les pâtes *al dente*. Égoutter.

Dans une poêle, chauffer l'huile à feu moyen. Cuire les échalotes de 1 à 2 minutes.

Ajouter les champignons et poursuivre la cuisson 2 minutes.

Ajouter les haricots et le vin. Porter à ébullition, puis cuire 1 minute.

Ajouter les pâtes, le persil et, si désiré, le basilic. Saler et poivrer. Réchauffer de 1 à 2 minutes en remuant.

Au moment de servir, parsemer de parmesan.

PAR PORTION	
Calories	666
Protéines	28 g
Matières grasses	13 g
Glucides	107 g
Fibres	10 g
Fer	7 mg
Calcium	178 mg
Sodium	461 mg

Pour varier

N'hésitez pas à utiliser d'autres légumineuses !

Que ce soit une question de rabais à l'épicerie ou simplement parce que vous ne les trouvez pas sur les rayons, n'hésitez pas à remplacer les haricots pinto par une autre légumineuse. Haricots blancs, rouges, noirs ou même pois chiches : tous auront leur place dans cette recette. Osez les essayer !

Soupe-repas aux haricots blancs et épinards

Préparation : **15 minutes** • Cuisson : **30 minutes** • Quantité : **4 portions**

Céleri ①
2 branches coupées en dés

Haricots blancs ②
rincés et égouttés
1 boîte de 540 ml

Épinards ③
parés
500 ml (2 tasses)

Pois verts ④
125 ml (½ tasse)

Yogourt nature 0 % ⑤
60 ml (¼ de tasse)

PRÉVOIR AUSSI :

- **1 oignon** haché
- **Bouillon de légumes** 500 ml (2 tasses)

FACULTATIF :

- **Pesto de basilic** 15 ml (1 c. à soupe)
- **Thym** 2 tiges
- **Graines de citrouille** 125 ml (½ tasse)

Préparation

Dans une casserole, chauffer un peu d'huile de canola à feu moyen. Cuire l'oignon et le céleri 5 minutes, jusqu'à ce qu'ils soient tendres.

Ajouter le bouillon, 500 ml (2 tasses) d'eau, les haricots et, si désiré, le pesto et le thym. Porter à ébullition, puis couvrir et cuire de 25 à 30 minutes à feu doux.

Retirer les tiges de thym. Incorporer les épinards et les pois verts. Transférer la préparation dans le contenant du robot culinaire. Émulsionner jusqu'à l'obtention d'une texture homogène. Poivrer.

Répartir la soupe dans des bols. Garnir chaque portion de yogourt et, si désiré, de graines de citrouille.

PAR PORTION	
Calories	415
Protéines	23 g
Matières grasses	20 g
Glucides	41 g
Fibres	12 g
Fer	8 mg
Calcium	214 mg
Sodium	438 mg

Option santé

L'épinard

Il est vrai que l'épinard contient du fer, mais moins que nous le laissent croire les aventures de Popeye. C'est tout de même un aliment de choix, puisqu'il représente notamment une excellente source d'acide folique, une vitamine essentielle au bon fonctionnement des systèmes nerveux et immunitaire. L'épinard est également une très bonne source de vitamine A et de magnésium.

Recette de Ève Godin, nutritionniste

One pot couscous à la mexicaine

Préparation : **15 minutes** • Cuisson : **5 minutes** • Quantité : **4 portions**

Couscous 1
375 ml (1 ½ tasse)

Haricots rouges 2
rincés et égouttés
1 boîte de 540 ml

Chipotle 3
1,25 ml (¼ de c. à thé)

Lime 4
30 ml (2 c. à soupe)
de jus

Assaisonnements à chili 5
1 sachet de 39 g

PRÉVOIR AUSSI :

- **1 oignon** haché
- **Huile d'olive** 30 ml (2 c. à soupe)
- **Bouillon de légumes** 410 ml (1 ⅔ tasse)

FACULTATIF :

- **Maïs en grains** 250 ml (1 tasse)
- **Persil** haché 30 ml (2 c. à soupe)
- **1 avocat**

Préparation

Dans une casserole, déposer le couscous, l'oignon, les haricots, le chipotle, le jus de lime, les assaisonnements à chili, l'huile et, si désiré, le maïs et le persil. Saler et remuer. Verser le bouillon de légumes et porter à ébullition à feu moyen en remuant. Couvrir et laisser le couscous gonfler 5 minutes.

Si désiré, tailler l'avocat en dés.

Égrainer le couscous à l'aide d'une fourchette. Si désiré, ajouter les dés d'avocat dans la casserole et remuer délicatement.

PAR PORTION	
Calories	620
Protéines	21 g
Matières grasses	16 g
Glucides	102 g
Fibres	16 g
Fer	4 mg
Calcium	66 mg
Sodium	1 246 mg

Idée pour accompagner

Chips de tortillas

Badigeonner 2 grandes tortillas de 15 ml (1 c. à soupe) d'huile d'olive. Saupoudrer de 5 ml (1 c. à thé) de grains de cumin grillés et de 5 ml (1 c. à thé) de paprika fumé doux. Couper chaque tortilla en huit triangles. Déposer les triangles de tortillas sur une plaque de cuisson tapissée de papier parchemin. Faire dorer au four de 5 à 7 minutes à 190 °C (375 °F).

Salades-repas

Avec des légumes verts ou rouges, du fromage ou des olives, des noix ou du tofu, du boulgour ou du maïs, du riz ou des pâtes… Quelles que soient les combinaisons qu'elles adoptent, les salades-repas sont toujours goûteuses à souhait et simples à préparer, même les jours pressés!

Salade d'amour

Préparation : **15 minutes** • Quantité : **4 portions**

Bébés épinards ①
1 contenant de 142 g

Fèves germées ②
250 ml (1 tasse)

Noix de cajou ③
125 ml (½ tasse)

Champignons ④
émincés
1 contenant de 227 g

Vinaigrette balsamique ⑤
80 ml (⅓ de tasse)

PRÉVOIR AUSSI :

- **Riz blanc à grains longs** cuit et refroidi 250 ml (1 tasse)
- **3 demi-poivrons** de couleurs variées émincés

FACULTATIF :

- **Céleri** 1 branche émincée
- **Sauce soya** 15 ml (1 c. à soupe)
- **Raisins secs** 125 ml (½ tasse)

Préparation

Dans un saladier, mélanger les bébés épinards avec les fèves germées, les noix de cajou, les champignons, la vinaigrette balsamique, le riz cuit, les poivrons et, si désiré, le céleri, la sauce soya et les raisins secs. Saler et poivrer.

PAR PORTION	
Calories	280
Protéines	10 g
Matières grasses	15 g
Glucides	29 g
Fibres	3 g
Fer	3 mg
Calcium	73 mg
Sodium	462 mg

Idée pour accompagner

Petits pains au fromage

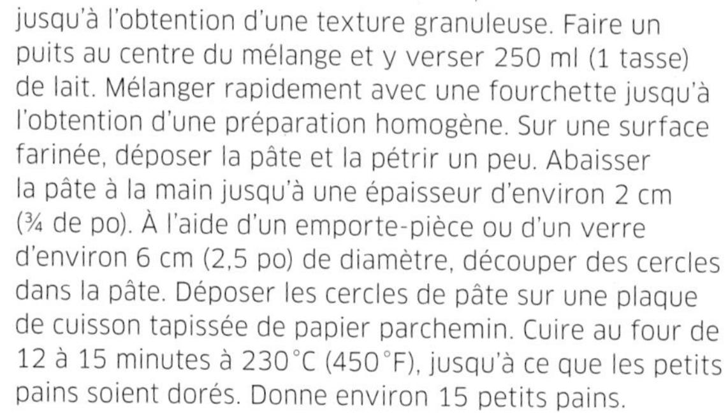

Dans un bol, mélanger 500 ml (2 tasses) de farine avec 20 ml (4 c. à thé) de poudre à pâte, 3,75 ml (¾ de c. à thé) de sel et 250 ml (1 tasse) de cheddar fort râpé. Ajouter 45 ml (3 c. à soupe) de beurre et défaire le beurre à l'aide d'un coupe-pâte ou de deux couteaux, jusqu'à l'obtention d'une texture granuleuse. Faire un puits au centre du mélange et y verser 250 ml (1 tasse) de lait. Mélanger rapidement avec une fourchette jusqu'à l'obtention d'une préparation homogène. Sur une surface farinée, déposer la pâte et la pétrir un peu. Abaisser la pâte à la main jusqu'à une épaisseur d'environ 2 cm (¾ de po). À l'aide d'un emporte-pièce ou d'un verre d'environ 6 cm (2,5 po) de diamètre, découper des cercles dans la pâte. Déposer les cercles de pâte sur une plaque de cuisson tapissée de papier parchemin. Cuire au four de 12 à 15 minutes à 230 °C (450 °F), jusqu'à ce que les petits pains soient dorés. Donne environ 15 petits pains.

Obtenez un repas complet en accompagnant cette salade d'amour de petits pains au fromage (5 g de protéines par pain) !

Salade de boulgour et tofu grillé à l'érable

Préparation : **15 minutes** • Marinage : **15 minutes** • Cuisson : **14 minutes** • Quantité : **4 portions**

Edamames décortiqués surgelés ①
250 ml (1 tasse)

Sirop d'érable ②
125 ml (½ tasse)

Tofu ferme ③
coupé en cubes
1 bloc de 454 g

Boulgour ④
250 ml (1 tasse)

3 demi-poivrons ⑤
de couleurs variées
émincés

PRÉVOIR AUSSI :

> **Huile de canola**
30 ml (2 c. à soupe)

> **Citron**
30 ml (2 c. à soupe)
de jus

FACULTATIF :

> **Oignons verts**
hachés
60 ml (¼ de tasse)

Préparation

Dans une casserole d'eau bouillante salée, cuire les edamames 5 minutes. Égoutter.

Dans un bol, mélanger le sirop d'érable avec la moitié de l'huile de canola. Transférer la moitié de la préparation dans un autre bol. Réserver.

Déposer les cubes de tofu dans le premier bol. Couvrir et laisser mariner de 15 minutes à 5 heures au frais.

Au moment de la cuisson, cuire le boulgour dans une casserole selon les indications de l'emballage. Retirer du feu et laisser reposer 10 minutes avant de remuer à l'aide d'une fourchette.

Égoutter le tofu et jeter la marinade.

Dans une poêle, chauffer le reste de l'huile de canola à feu moyen. Cuire les cubes de tofu de 4 à 5 minutes, jusqu'à ce qu'ils soient dorés sur toutes les faces.

Dans un saladier, déposer le boulgour, les poivrons, les edamames, les cubes de tofu et, si désiré, les oignons verts. Verser le jus de citron et le mélange au sirop d'érable réservé. Saler et poivrer. Bien mélanger.

PAR PORTION	
Calories	484
Protéines	29 g
Matières grasses	18 g
Glucides	56 g
Fibres	9 g
Fer	5 mg
Calcium	175 mg
Sodium	31 mg

À découvrir

Le boulgour

Boulgour, boulghour, bulghur ou bulgur : peu importe l'orthographe retenue, tous ces mots désignent le même sous-produit du blé débarrassé de son enveloppe – le son –, qui est cuit à la vapeur, séché, puis concassé. Bien que leur apparence soit semblable, le boulgour et le couscous (semoule de blé dur) ne sont pas jumeaux, mais plutôt cousins ! Comme les autres céréales, le boulgour est riche en plusieurs vitamines et minéraux, notamment en fer et en magnésium.

32 mini-fondues parmesan ①

Mélange de laitues printanier ②
750 ml (3 tasses)

15 à 20 tomates cerises ③
coupées en deux

Vinaigrette aux tomates séchées ④
80 ml (⅓ de tasse)

½ petit oignon rouge ⑤
émincé

Salade de tomates et fondues parmesan

Préparation : **15 minutes** • Cuisson : **10 minutes** • Quantité : **4 portions**

Préparation

Préchauffer le four à 205 °C (400 °F).

Sur une plaque de cuisson tapissée de papier parchemin, déposer les fondues parmesan. Cuire au four de 10 à 12 minutes, en retournant les fondues à mi-cuisson.

Dans un saladier, mélanger la laitue avec les tomates cerises, la vinaigrette et l'oignon rouge. Saler et poivrer.

Répartir la salade dans les assiettes. Garnir chaque portion de 8 mini-fondues parmesan.

PAR PORTION	
Calories	471
Protéines	10 g
Matières grasses	30 g
Glucides	47 g
Fibres	5 g
Fer	2 mg
Calcium	104 mg
Sodium	742 mg

Idée pour accompagner

Pommes de terre rôties au parmesan

Couper 4 grosses pommes de terre Idaho, Russet ou Yukon Gold en rondelles de 1 cm (½ po) d'épaisseur. Dans un bol, mélanger 45 ml (3 c. à soupe) d'huile d'olive avec 15 ml (1 c. à soupe) de sarriette hachée et 10 ml (2 c. à thé) de thym haché. Saler et poivrer. Ajouter les rondelles de pommes de terre et remuer afin de bien les enrober d'huile parfumée. Répartir les rondelles de pommes de terre sur une plaque de cuisson tapissée de papier parchemin, sans les superposer. Cuire au four 10 minutes à 205 °C (400 °F), en remuant quelques fois. Parsemer les pommes de terre de 125 ml (½ tasse) de parmesan râpé et poursuivre la cuisson de 5 à 10 minutes, jusqu'à ce que les pommes de terre soient dorées.

Avec ces pommes de terre rôties, vous obtiendrez un repas complet (+ 13 g de protéines par portion) !

Salade de roquette et tortellinis

Préparation : **15 minutes** • Cuisson : **6 minutes** • Quantité : **4 portions**

Tortellinis au fromage (1)
1 paquet de 350 g

Roquette (2)
750 ml (3 tasses)

15 à 20 tomates cerises (3)
de couleurs variées
coupées en deux

Vinaigrette érable et Dijon (4)
125 ml (½ tasse)

Noix de pin (5)
rôties
80 ml (⅓ de tasse)

PRÉVOIR AUSSI :
➤ **Ciboulette**
hachée
60 ml (¼ de tasse)

FACULTATIF :
➤ **Parmesan**
râpé
80 ml (⅓ de tasse)

Préparation

Dans une casserole d'eau bouillante salée, cuire les tortellinis *al dente*. Égoutter et refroidir sous l'eau froide. Égoutter de nouveau.

Dans un saladier, mélanger la roquette avec les tomates cerises, la vinaigrette, les noix de pin, la ciboulette et les tortellinis.

Répartir la salade de tortellinis dans les assiettes. Si désiré, garnir chaque portion de parmesan.

PAR PORTION	
Calories	526
Protéines	17 g
Matières grasses	29 g
Glucides	52 g
Fibres	3 g
Fer	2 mg
Calcium	244 mg
Sodium	735 mg

Pour varier

Essayez d'autres saveurs de tortellinis !

Renouvelez cette salade-repas en moins de deux en optant pour des tortellinis farcis avec la garniture de votre choix ! Ricotta-romano, mélange de trois fromages, fromage et épinards... à vous de choisir ! De même, faites changement des tortellinis à pâte blanche en les troquant pour l'une des variantes offertes à l'épicerie (aux fines herbes, trois couleurs, etc.) : parfait pour ajouter une touche de fantaisie à cette recette !

Salade d'orzo méditerranéenne

Préparation : **15 minutes** • Cuisson : **8 minutes** • Quantité : **4 portions**

Orzo ①
375 ml (1 ½ tasse)

Vinaigrette italienne ②
125 ml (½ tasse)

15 à 20 tomates cerises ③
de couleurs variées
coupées en deux

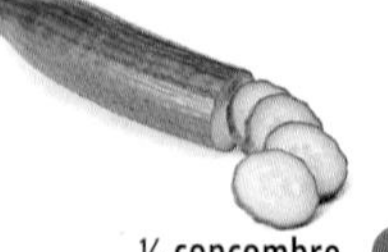

½ concombre ④
coupé en
demi-rondelles

Olives Kalamata ⑤
tranchées
125 ml (½ tasse)

PRÉVOIR AUSSI :
➤ **½ petit oignon rouge**
émincé

FACULTATIF :
➤ **Origan**
15 ml (1 c. à soupe)
de feuilles

Préparation

Dans une casserole d'eau bouillante salée, cuire l'orzo *al dente*. Égoutter et rincer sous l'eau froide. Égoutter de nouveau.

Dans un saladier, mélanger l'orzo avec la vinaigrette, les tomates cerises, le concombre, les olives, l'oignon rouge et, si désiré, l'origan. Saler et poivrer.

PAR PORTION	
Calories	387
Protéines	10 g
Matières grasses	13 g
Glucides	59 g
Fibres	3 g
Fer	1 mg
Calcium	42 mg
Sodium	780 mg

Idée pour accompagner

Pain grillé au fromage

Trancher ½ baguette de pain aux olives et tomates séchées en deux sur l'épaisseur. Couper chaque morceau en deux et badigeonner d'huile d'olive. Parsemer de 80 ml (⅓ de tasse) de cheddar râpé et de 5 ml (1 c. à thé) de thym haché. Déposer sur une plaque de cuisson et cuire au four de 5 à 6 minutes à 205 °C (400 °F).

Chaque pain grillé fournit 4 g de protéines : parfait pour compléter cette salade d'orzo et en faire un repas complet !

Salade de légumes marinés et haricots

Préparation : **15 minutes** • Quantité : **4 portions**

Cœurs d'artichauts ①
rincés et égouttés
1 boîte de 398 ml

Cœurs de palmier ②
rincés et égouttés
1 boîte de 398 ml

Haricots rouges ③
rincés et égouttés
1 boîte de 540 ml

Mini-maïs ④
égouttés
1 boîte de 398 ml

10 à 12 tomates cerises ⑤
coupées en deux

PRÉVOIR AUSSI :
- **Vinaigre de cidre**
  60 ml (¼ de tasse)
- **Huile d'olive**
  80 ml (⅓ de tasse)

FACULTATIF :
- **Olives vertes**
  tranchées
  125 ml (½ tasse)
- **Basilic**
  haché
  60 ml (¼ de tasse)

Préparation

Dans un saladier, mélanger le vinaigre de cidre avec l'huile d'olive.

Ajouter les cœurs d'artichauts, les cœurs de palmier, les haricots rouges, les mini-maïs, les tomates cerises et, si désiré, les olives vertes et le basilic. Saler et poivrer. Bien mélanger.

PAR PORTION	
Calories	367
Protéines	13 g
Matières grasses	22 g
Glucides	33 g
Fibres	11 g
Fer	6 mg
Calcium	97 mg
Sodium	930 mg

Option santé

Les épis de maïs miniatures

Peu caloriques, les épis de maïs miniatures s'intègrent à une foule de mets (chilis, salades, poêlées de légumes, etc.). Offerts en conserve ou surgelés, ils sont une source de fer (8 % VQ/250 ml – 1 tasse). Aussi riches en fibres (4 g/250 ml), ils contribuent à la sensation de satiété ainsi qu'au bon fonctionnement du système digestif. Contrairement au maïs en grains (maïs sucré), les épis de maïs miniatures, récoltés encore immatures, contiennent peu de glucides (seulement 8 g/250 ml), ce qui représente une option avantageuse, notamment pour les personnes diabétiques.

Salade fraîcheur de tomates et mozzarella

Préparation : **15 minutes** • Temps de repos : **30 minutes** • Quantité : **4 portions**

Huile d'olive ①
60 ml (¼ de tasse)

Vinaigre balsamique ②
15 ml (1 c. à soupe)

Citron ③
15 ml (1 c. à soupe) de zestes

Tomates ④
3 rouges et 3 jaunes

Mozzarella fraîche ⑤
tranchée
1 paquet de 250 g

FACULTATIF :

- **Basilic**
  quelques feuilles
- **Parmesan**
  45 ml (3 c. à soupe) de copeaux

Préparation

Dans un bol, fouetter l'huile avec le vinaigre et les zestes de citron. Saler et poivrer.

Dans une grande assiette, disposer les tranches de tomates et les tranches de mozzarella en les faisant alterner et se chevaucher.

Napper de vinaigrette. Laisser reposer 30 minutes au frais.

Si désiré, garnir de feuilles de basilic et de copeaux de parmesan au moment de servir.

PAR PORTION	
Calories	361
Protéines	15 g
Matières grasses	28 g
Glucides	14 g
Fibres	3 g
Fer	1 mg
Calcium	306 mg
Sodium	235 mg

À découvrir

La mozzarella fraîche

Proche parente des bocconcinis, la mozzarella fraîche est également originaire d'Italie. Son goût frais et doux provient du fait que ce fromage n'est pas vieilli, tel le cheddar ou le gouda. Pour conserver sa fraîcheur, l'emballage de la mozzarella fraîche est généralement rempli d'eau. C'est un fromage idéal à marier avec des ingrédients qui rehausseront sa saveur peu prononcée comme l'huile d'olive, les fines herbes, les poivrons grillés et les tomates (fraîches ou séchées).

4 grosses betteraves rouges ①

Vinaigrette érable et Dijon ②
80 ml (⅓ de tasse)

Roquette ③
500 ml (2 tasses)

Noix de pin ④
grillées
30 ml (2 c. à soupe)

Fromage de chèvre cendré ⑤
coupé en tranches
200 g (environ ½ lb)

Salade de betteraves, chèvre et noix de pin

Préparation : **15 minutes** • Cuisson : **25 minutes** • Quantité : **4 portions**

Préparation

Dans une casserole d'eau bouillante salée, cuire les betteraves de 25 à 30 minutes, jusqu'à tendreté. Rafraîchir sous l'eau froide. Égoutter.

Éplucher les betteraves, puis les couper en cubes ou en fines rondelles. Déposer dans un saladier.

Dans le saladier, ajouter la vinaigrette, la roquette et les noix de pin. Remuer.

Répartir la salade dans les assiettes. Garnir chaque portion de tranches de fromage de chèvre.

PAR PORTION	
Calories	361
Protéines	15 g
Matières grasses	28 g
Glucides	14 g
Fibres	2 g
Fer	1 mg
Calcium	68 mg
Sodium	624 mg

À découvrir

Les différentes variétés de betteraves

On reconnaît rapidement la betterave grâce à sa couleur d'un magenta prononcé. Ce n'est toutefois pas la seule teinte qu'adopte ce légume savoureux ! Essayez les variétés de betteraves jaunes, orange ou striées de blanc : elles offrent un goût similaire à celui de la betterave rouge et ajoutent un brin de fantaisie aux assiettes sans toutefois colorer les aliments (et les doigts !) qui les touchent.

Tofu extra-ferme (1)
1 bloc de 350 g

Vinaigrette au sésame et tamari (2)
du commerce
125 ml (½ tasse)

Pois chiches (3)
rincés et égouttés
1 boîte de 540 ml

Parmesan (4)
râpé
60 ml (¼ de tasse)

Bébés épinards (5)
1 contenant de 142 g

PRÉVOIR AUSSI :
- **Huile d'olive** 30 ml (2 c. à soupe)
- **Paprika fumé** 15 ml (1 c. à soupe)

FACULTATIF :
- **18 tomates cerises** de couleurs variées coupées en deux
- **2 avocats** coupés en quartiers

Salade de pois chiches croustillants

Préparation : **15 minutes** • Marinage : **15 minutes** • Cuisson : **35 minutes** • Quantité : **4 portions**

PAR PORTION	
Calories	520
Protéines	23 g
Matières grasses	32 g
Glucides	44 g
Fibres	14 g
Fer	6 mg
Calcium	331 mg
Sodium	765 mg

Préparation

Préchauffer le four à 205 °C (400 °F).

Couper le tofu en huit tranches sur la largeur.

Dans un bol, verser le tiers de la vinaigrette. Ajouter les tranches de tofu et laisser mariner au frais de 15 à 45 minutes.

Assécher les pois chiches sur du papier absorbant.

Dans un bol, mélanger les pois chiches avec le parmesan, l'huile d'olive et le paprika fumé. Saler et poivrer.

Répartir les pois chiches sur une plaque de cuisson tapissée d'une feuille de papier parchemin. Cuire au four de 35 à 40 minutes, en remuant toutes les 10 minutes, jusqu'à ce que les pois chiches soient dorés et croustillants.

Égoutter le tofu en prenant soin de réserver la marinade.

Chauffer une poêle à feu moyen. Cuire les tranches de tofu 1 minute de chaque côté.

Ajouter la marinade réservée dans la poêle et remuer.

Dans un saladier, verser la vinaigrette restante. Ajouter les bébés épinards et, si désiré, les tomates cerises et les avocats. Remuer.

Répartir la salade dans les assiettes. Garnir chaque portion de tranches de tofu et de pois chiches croustillants.

Version maison

Vinaigrette au sésame et tamari

Mélanger 60 ml (¼ de tasse) d'huile de canola avec 30 ml (2 c. à soupe) de vinaigre balsamique, 15 ml (1 c. à soupe) de tamari, 15 ml (1 c. à soupe) d'huile de sésame (non grillé), 15 ml (1 c. à soupe) de graines de sésame et 1 pincée de poudre d'ail. Saler et poivrer.

Salade de gemellis aux cœurs de palmier et avocats

Préparation : **15 minutes** • Cuisson : **10 minutes** • Quantité : **4 portions**

Gemellis 1
1 litre (4 tasses)

Cœurs de palmier 2
égouttés et émincés
1 boîte de 398 ml

2 tomates 3
coupées
en quartiers

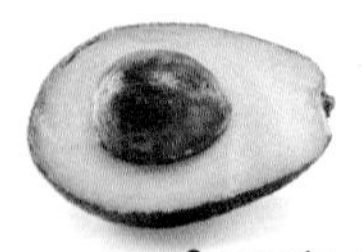

2 avocats 4
coupés
en quartiers

Vinaigrette aux tomates séchées 5
du commerce
125 ml (½ tasse)

PRÉVOIR AUSSI :
➤ **Basilic**
émincé
30 ml (2 c. à soupe)

Préparation

Dans une casserole d'eau bouillante salée, cuire les pâtes *al dente*. Égoutter et refroidir sous l'eau froide. Égoutter de nouveau.

Déposer les cœurs de palmier, les tomates, les avocats et les pâtes dans un saladier.

Ajouter la vinaigrette et le basilic. Saler, poivrer et remuer.

PAR PORTION	
Calories	593
Protéines	13 g
Matières grasses	33 g
Glucides	69 g
Fibres	12 g
Fer	5 mg
Calcium	58 mg
Sodium	523 mg

Version maison

Vinaigrette aux tomates séchées

Mélanger 80 ml (⅓ de tasse) d'huile d'olive avec 15 ml (1 c. à soupe) de vinaigre de cidre, 30 ml (2 c. à soupe) de tomates séchées hachées et 30 ml (2 c. à soupe) de ciboulette hachée. Saler et poivrer.

1 **¼ de baguette ciabatta** coupée en cubes

2 **Tofu fumé** coupé en tranches fines 350 g (environ ¾ de lb)

3 **1 laitue romaine** déchiquetée

4 **18 tomates cerises** de couleurs variées coupées en deux

5 **Vinaigrette César** 125 ml (½ tasse)

PRÉVOIR AUSSI :
➤ **Huile d'olive** 45 ml (3 c. à soupe)

Salade César au tofu fumé

Préparation : **15 minutes** • Cuisson : **8 minutes** • Quantité : **4 portions**

Préparation

Préchauffer le four à 180 °C (350 °F).

Dans un bol, mélanger les cubes de pain avec 30 ml (2 c. à soupe) d'huile d'olive. Saler et poivrer.

Déposer les cubes de pain sur une plaque de cuisson tapissée de papier parchemin. Cuire au four de 8 à 10 minutes, jusqu'à ce que les cubes soient dorés et croustillants.

Pendant ce temps, déposer les tranches de tofu sur une autre plaque de cuisson tapissée de papier parchemin. Arroser de l'huile d'olive restante. Cuire au four de 6 à 8 minutes.

Dans un saladier, déposer la laitue, les tomates cerises et les croûtons. Verser la vinaigrette César. Remuer. Ajouter les tranches de tofu et remuer délicatement.

PAR PORTION	
Calories	473
Protéines	17 g
Matières grasses	37 g
Glucides	18 g
Fibres	3 g
Fer	3 mg
Calcium	320 mg
Sodium	742 mg

À découvrir

Le tofu fumé

En raison de la fumée liquide qu'il contient, le tofu fumé révèle un goût de bois qui rappelle celui de la viande et du fromage fumés. Toutefois, cette saveur demeure assez subtile pour s'accorder à une foule de mets (salades, plats tout-en-un, fondue chinoise, etc.). Le p'tit goût qui change tout, quoi !

Salade de mesclun aux fraises et noisettes

Préparation : **15 minutes** • Quantité : **4 portions**

14 fraises ①
coupées en deux

Mélange de laitues printanier ②
750 ml (3 tasses)

Noisettes ③
125 ml (½ tasse)

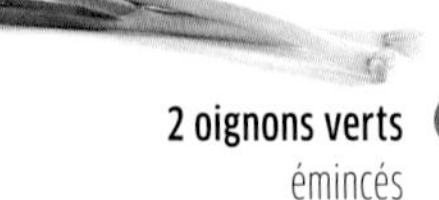

2 oignons verts ④
émincés

Vinaigrette érable et Dijon ⑤
80 ml (⅓ de tasse)

Préparation

Dans un saladier, déposer les fraises, le mélange de laitues, les noisettes et les oignons verts. Ajouter la vinaigrette et remuer.

Répartir la salade dans les assiettes. Si désiré, garnir chaque portion de copeaux de parmesan. Poivrer.

PAR PORTION	
Calories	293
Protéines	9 g
Matières grasses	23 g
Glucides	15 g
Fibres	4 g
Fer	2 mg
Calcium	226 mg
Sodium	501 mg

Idée pour accompagner

Croûtons au fromage et noix

Couper ½ baguette aux noix en 12 à 16 tranches. Déposer sur une plaque de cuisson tapissée de papier parchemin et faire dorer au four 1 minute à la position « gril » (*broil*). Dans un bol, mélanger 375 ml (1 ½ tasse) de cheddar râpé avec 60 ml (¼ de tasse) de noix hachées et 5 ml (1 c. à thé) de thym séché. Couvrir les croûtons de la préparation et faire gratiner au four de 2 à 3 minutes sur la grille du centre.

Faites de cette salade de mesclun un repas complet en l'accompagnant de deux croûtons au fromage et noix (+ 8 g de protéines) !

FACULTATIF :

➤ **Parmesan**
180 ml (¾ de tasse) de copeaux

Pâtes exquises

Manicotis, macaronis, tortellinis, spaghettis, farfalles, fettucines, pennes, raviolis… Les pâtes ont toutes le don de nous transporter illico en Italie ! Dans cette section, elles s'affichent en mode végé et sont escortées de bons légumes, de fromage fondant et de sauces exquises !

Farfalles au brocoli et cheddar

Préparation : **15 minutes** • Cuisson : **10 minutes** • Quantité : **4 portions**

Farfalles ①
1 litre (4 tasses)

1 gros brocoli ②
coupé en petits bouquets

Lait 2 % ③
500 ml (2 tasses)

Moutarde à l'ancienne ④
20 ml (4 c. à thé)

Cheddar fort ⑤
râpé
375 ml (1 ½ tasse)

PRÉVOIR AUSSI :

- **Échalotes sèches (françaises)**
hachées
80 ml (⅓ de tasse)
- **Farine**
45 ml (3 c. à soupe)

Préparation

Dans une casserole d'eau bouillante salée, cuire les pâtes *al dente*. Environ 3 minutes avant la fin de la cuisson des pâtes, ajouter le brocoli dans la casserole. Égoutter.

Pendant ce temps, chauffer un peu d'huile d'olive à feu moyen dans une autre casserole. Cuire les échalotes 1 minute.

Saupoudrer de farine, puis cuire 1 minute en remuant.

Incorporer le lait graduellement en fouettant. Porter à ébullition en remuant.

Ajouter la moutarde et le cheddar. Remuer jusqu'à ce que le fromage soit fondu. Saler et poivrer.

Ajouter les pâtes et le brocoli. Remuer.

PAR PORTION	
Calories	554
Protéines	25 g
Matières grasses	24 g
Glucides	64 g
Fibres	3 g
Fer	3 mg
Calcium	410 mg
Sodium	469 mg

À découvrir

La différence entre la moutarde de Dijon et la moutarde à l'ancienne

La moutarde de Dijon, faite de graines de moutarde brunes broyées et tamisées, présente un goût assez fort et piquant ainsi qu'une texture lisse. On l'emploie comme condiment et pour rehausser les vinaigrettes, la viande, les sauces ainsi que les marinades. Préparée à partir de graines de moutarde entières ou concassées, la moutarde à l'ancienne présente quant à elle une texture granuleuse et une saveur plus douce. On l'utilise aux mêmes fins que sa cousine dijonnaise.

Macaronis 1
750 ml (3 tasses)

Tofu ferme 2
coupé en bâtonnets
1 bloc de 454 g

Légumes surgelés pour macaroni chinois 3
500 ml (2 tasses)

Sauce soya 4
réduite en sodium
80 ml (⅓ de tasse)

Sauce hoisin 5
45 ml (3 c. à soupe)

PRÉVOIR AUSSI :

➤ **Fécule de maïs**
15 ml (1 c. à soupe)

➤ **Bouillon de légumes**
125 ml (½ tasse)

Macaroni chinois au tofu

Préparation : **15 minutes** • Cuisson : **11 minutes** • Quantité : **4 portions**

Préparation

Dans une casserole d'eau bouillante salée, cuire les pâtes *al dente*. Égoutter.

Pendant ce temps, chauffer un peu d'huile de canola à feu moyen dans une autre casserole. Faire dorer les bâtonnets de tofu de 3 à 4 minutes.

Ajouter le mélange de légumes. Cuire de 2 à 3 minutes en remuant de temps en temps.

Délayer la fécule de maïs dans le bouillon de légumes.

Verser le bouillon de légumes, la sauce soya et la sauce hoisin dans la casserole contenant les légumes. Prolonger la cuisson de 2 à 3 minutes.

Ajouter les macaronis. Réchauffer de 1 à 2 minutes en remuant.

Si désiré, parsemer d'oignons verts au moment de servir.

PAR PORTION	
Calories	576
Protéines	34 g
Matières grasses	14 g
Glucides	77 g
Fibres	5 g
Fer	5 mg
Calcium	145 mg
Sodium	1 110 mg

À découvrir

La sauce hoisin

Préparation à la fois sucrée et pimentée, la sauce hoisin est faite à base de pâte de soya, d'ail, de vinaigre, d'épices et de sucre. Elle se marie bien à la volaille, à la viande et aux plats sautés. C'est d'ailleurs avec cette sauce que l'on prépare le fameux canard laqué chinois. Fait cocasse : la consistance et la saveur de la sauce hoisin lui valent le titre de « ketchup des Chinois » !

FACULTATIF :

➤ **Oignons verts**
hachés
80 ml (⅓ de tasse)

Tortellinis aux poivrons

Préparation : **15 minutes** • Cuisson : **13 minutes** • Quantité : **4 portions**

Tortellinis au fromage ①
1 paquet de 350 g

3 demi-poivrons ②
de couleurs variées émincés

1 poireau ③
émincé

Pesto de basilic ④
du commerce
80 ml (⅓ de tasse)

Parmesan ⑤
60 ml (¼ de tasse) de copeaux

FACULTATIF :

- **Basilic**
15 ml (1 c. à soupe) de petites feuilles

Préparation

Dans une casserole d'eau bouillante salée, cuire les tortellinis *al dente*. Égoutter.

Dans la même casserole, chauffer un peu d'huile d'olive à feu moyen. Cuire les poivrons et le poireau de 3 à 4 minutes.

Ajouter les pâtes et le pesto. Saler, poivrer et bien mélanger.

Répartir les pâtes dans les assiettes. Garnir de copeaux de parmesan et, si désiré, de basilic.

PAR PORTION	
Calories	433
Protéines	15 g
Matières grasses	20 g
Glucides	49 g
Fibres	3 g
Fer	2 mg
Calcium	216 mg
Sodium	529 mg

Version maison

Pesto de basilic

Dans le contenant du mélangeur électrique, verser 60 ml (¼ de tasse) d'huile d'olive. Ajouter 2 gousses d'ail pelées et 125 ml (½ tasse) de noix de pin. Mélanger quelques secondes. Ajouter 500 ml (2 tasses) de feuilles de basilic bien tassées, puis verser graduellement 60 ml (¼ de tasse) d'huile d'olive en donnant quelques impulsions entre chaque addition. Ajouter 125 ml (½ tasse) de parmesan râpé et mélanger encore quelques secondes jusqu'à l'obtention de la consistance désirée.

Spaghetti aux boulettes de haricots

Préparation : **15 minutes** • Cuisson : **13 minutes** • Quantité : **4 portions**

Spaghettis (1)
350 g (environ ¾ de lb)

Haricots rouges (2)
rincés et égouttés
1 boîte de 540 ml

Chapelure nature (3)
125 ml (½ tasse)

Échalotes sèches (françaises) (4)
hachées
60 ml (¼ de tasse)

Sauce marinara (5)
500 ml (2 tasses)

PRÉVOIR AUSSI :

- **Assaisonnements italiens** 15 ml (1 c. à soupe)
- **1 œuf**

FACULTATIF :

- **Basilic** 30 ml (2 c. à soupe) de petites feuilles

Préparation

Dans une casserole d'eau bouillante salée, cuire les pâtes *al dente*. Égoutter.

Dans le contenant du robot culinaire, déposer les haricots, la chapelure, les échalotes, les assaisonnements italiens et l'œuf. Saler et poivrer. Émulsionner jusqu'à l'obtention d'une purée lisse.

Façonner 20 boulettes en utilisant environ 30 ml (2 c. à soupe) de préparation pour chacune d'elles.

Dans une grande poêle, chauffer un peu d'huile d'olive à feu moyen. Faire dorer les boulettes de 3 à 4 minutes sur toutes les faces.

Verser la sauce marinara dans la poêle. Porter à ébullition.

Répartir les spaghettis dans les assiettes. Garnir chaque portion de boulettes et de sauce. Si désiré, garnir de basilic.

PAR PORTION	
Calories	624
Protéines	25 g
Matières grasses	9 g
Glucides	109 g
Fibres	12 g
Fer	6 mg
Calcium	128 mg
Sodium	745 mg

Idée pour accompagner

Baguette de pain à l'ail et tomates séchées

Dans un bol, mélanger 125 ml (½ tasse) de beurre ramolli avec 60 ml (¼ de tasse) de persil haché, 15 ml (1 c. à soupe) de pesto aux tomates séchées et 10 ml (2 c. à thé) d'ail haché. Saler et poivrer. Inciser 1 petite baguette de pain en 10 à 12 tranches d'environ 2,5 cm (1 po) d'épaisseur, sans les trancher complètement. Tartiner les tranches de beurre aromatisé. Envelopper la baguette dans une grande feuille de papier d'aluminium, puis cuire au four de 10 à 12 minutes à 205 °C (400 °F).

Manicotis ①
8 tubes

Épinards ②
parés et hachés
500 ml (2 tasses)

Ricotta ③
1 contenant de 475 g

Sauce marinara ④
500 ml (2 tasses)

Pesto aux tomates séchées ⑤
45 ml (3 c. à soupe)

PRÉVOIR AUSSI :
> **Mozzarella** râpée 500 ml (2 tasses)
> **1 œuf**

Manicotis, sauce aux tomates séchées

Préparation : **15 minutes** • Cuisson : **27 minutes** • Quantité : **4 portions**

Préparation

Préchauffer le four à 180 °C (350 °F).

Dans une casserole d'eau bouillante salée, cuire les tubes de manicotis *al dente*. Égoutter.

Pendant ce temps, mélanger les épinards avec la ricotta, 125 ml (½ tasse) de mozzarella et l'œuf dans un bol. Saler et poivrer.

Farcir les tubes avec la préparation aux épinards.

Dans un autre bol, mélanger la sauce marinara avec le pesto aux tomates séchées.

Napper le fond d'un plat de cuisson avec un peu de sauce. Déposer les manicotis côte à côte dans le plat. Napper du reste de la sauce, puis couvrir de la mozzarella restante.

Couvrir le plat d'une feuille de papier d'aluminium. Cuire au four de 25 à 30 minutes.

Retirer le papier d'aluminium et faire gratiner à la position « gril » (*broil*) de 2 à 3 minutes.

PAR PORTION	
Calories	668
Protéines	35 g
Matières grasses	41 g
Glucides	41 g
Fibres	4 g
Fer	3 mg
Calcium	646 mg
Sodium	1 176 mg

À découvrir

Les manicotis

Entrant dans la composition d'une foule de plats réconfortants, les manicotis sont des pâtes typiques de la cuisine italienne. Bien que ceux que l'on trouve au supermarché soient sous forme de pâtes alimentaires, les manicotis sont traditionnellement composés de minces tubes réalisés avec de la pâte à crêpes. Ainsi, la prochaine fois que vous aurez envie de manger des manicotis, pourquoi ne pas remplacer les pâtes alimentaires par des crêpes que vous farcirez ? Il vous suffira de quelques œufs, de farine et d'eau pour recréer ce plat qui vous transportera en plein cœur de l'Italie !

Pennes 1
750 ml (3 tasses)

Sauce aux quatre fromages 2
du commerce
625 ml (2 ½ tasses)

Bébés épinards 3
émincés
500 ml (2 tasses)

Tomates séchées 4
émincées
125 ml (½ tasse)

Basilic 5
60 ml (¼ de tasse) de feuilles

Pennes au fromage, épinards et tomates séchées

Préparation : **10 minutes** • Cuisson : **10 minutes** • Quantité : **4 portions**

Préparation

Dans une casserole d'eau bouillante salée, cuire les pâtes *al dente*. Égoutter.

Dans une autre casserole, chauffer la sauce à feu moyen en remuant.

Ajouter les bébés épinards et les tomates séchées dans la sauce. Saler, poivrer et remuer. Cuire de 1 à 2 minutes.

Répartir les pâtes dans les assiettes. Napper chaque portion de sauce. Garnir de feuilles de basilic.

PAR PORTION	
Calories	630
Protéines	24 g
Matières grasses	22 g
Glucides	86 g
Fibres	6 g
Fer	4 mg
Calcium	456 mg
Sodium	818 mg

Version maison

Sauce aux quatre fromages

Dans une casserole, faire fondre 160 ml (⅔ de tasse) de beurre à feu moyen. Cuire 250 ml (1 tasse) d'échalotes sèches (françaises) hachées et 30 ml (2 c. à soupe) d'ail haché 1 minute. Ajouter 180 ml (¾ de tasse) de vin blanc et laisser mijoter jusqu'à réduction complète du liquide. Saupoudrer de 160 ml (⅔ de tasse) de farine et remuer. Verser 1 litre (4 tasses) de lait et porter à ébullition en fouettant constamment. Ajouter progressivement 250 ml (1 tasse) de crème à cuisson 15 % et le contenu de 1 sac de mélange de quatre fromages italiens râpés de 320 g en remuant. Saler, poivrer et remuer. Donne 2 litres (8 tasses) de sauce. Petit plus : elle se congèle !

Pennes, sauce marinara et feta

Préparation : **15 minutes** • Cuisson : **15 minutes** • Quantité : **4 portions**

Pennes (1)
750 ml (3 tasses)

Sauce marinara (2)
625 ml (2 ½ tasses)

Assaisonnements italiens (3)
20 ml (4 c. à thé)

Feta (4)
émiettée
125 ml (½ tasse)

Basilic (5)
30 ml (2 c. à soupe)
de petites feuilles

PRÉVOIR AUSSI :

- **1 oignon** haché
- **Ail** haché 10 ml (2 c. à thé)

Préparation

Dans une casserole d'eau bouillante salée, cuire les pâtes *al dente*. Égoutter.

Dans la même casserole, chauffer un peu d'huile d'olive à feu moyen. Cuire l'oignon et l'ail de 2 à 3 minutes.

Ajouter la sauce marinara et les assaisonnements italiens. Porter à ébullition.

Répartir les pâtes dans les assiettes. Garnir chaque portion de sauce, de feta et de basilic.

PAR PORTION	
Calories	519
Protéines	17 g
Matières grasses	12 g
Glucides	85 g
Fibres	7 g
Fer	5 mg
Calcium	171 mg
Sodium	959 mg

Astuce 5•15

Doublez la recette !

Les plats de pâtes comme celui-ci sont parfaits pour faire des réserves en prévision des lunchs : il suffit de doubler la recette et d'en congeler une partie en portions individuelles. Un petit tour au micro-ondes suffira à réchauffer ces savoureux pennes pour que vous puissiez les déguster en deux temps trois mouvements !

Raviolis *alla napoletana*

Préparation : **10 minutes** • Cuisson : **10 minutes** • Quantité : **4 portions**

Raviolis aux trois fromages ①
1 paquet de 700 g

Ail ②
haché
30 ml (2 c. à soupe)

Sauce tomate aux fines herbes ③
1 pot de 640 ml

Basilic ④
haché
30 ml (2 c. à soupe)

Parmesan ⑤
80 ml (⅓ de tasse)
de copeaux

PRÉVOIR AUSSI :
> **2 oignons**
hachés

FACULTATIF :
> **Laurier**
1 feuille

Préparation

Dans une casserole d'eau bouillante salée, cuire les raviolis *al dente*. Égoutter.

Pendant ce temps, chauffer un peu d'huile d'olive à feu moyen dans une autre casserole. Faire dorer les oignons de 2 à 3 minutes.

Ajouter l'ail et cuire de 1 à 2 minutes.

Incorporer la sauce tomate et, si désiré, la feuille de laurier. Saler et poivrer. Porter à ébullition.

Ajouter le basilic et remuer.

Répartir les raviolis dans les assiettes. Garnir de sauce et de copeaux de parmesan.

PAR PORTION	
Calories	586
Protéines	22 g
Matières grasses	11 g
Glucides	96 g
Fibres	6 g
Fer	3 mg
Calcium	323 mg
Sodium	1 322 mg

Secret de chef

Égouttez vos pâtes… mais gardez un peu d'eau !

Au moment d'égoutter vos pâtes, conservez toujours un peu d'eau de cuisson. Étant salée et quelque peu collante en raison de l'amidon des pâtes, cette eau pourrait sauver une sauce trop épaisse. Si tel est le cas, ajoutez la quantité d'eau nécessaire pour parvenir à la consistance voulue.

Fiorellis ①
ou fusillis
1 litre (4 tasses)

Mélange de légumes surgelés de style bruxellois ②
½ sac de 750 g

Sauce tomate aux fines herbes ③
500 ml (2 tasses)

Assaisonnements pour sauce à spaghetti ④
30 ml (2 c. à soupe)

Crème à cuisson 15 % ⑤
125 ml (½ tasse)

Pâtes aux légumes, sauce rosée

Préparation : **15 minutes** • Cuisson : **10 minutes** • Quantité : **4 portions**

Préparation

Dans une casserole d'eau bouillante salée, cuire les pâtes *al dente*. Environ 5 minutes avant la fin de la cuisson des pâtes, ajouter le mélange de légumes dans la casserole. Égoutter.

Dans la même casserole, mélanger la sauce tomate avec les assaisonnements pour sauce à spaghetti. Porter à ébullition.

Ajouter la crème, les pâtes et les légumes. Réchauffer de 1 à 2 minutes en remuant.

Répartir les pâtes dans les assiettes. Si désiré, garnir de basilic.

PAR PORTION	
Calories	450
Protéines	15 g
Matières grasses	6 g
Glucides	87 g
Fibres	7 g
Fer	4 mg
Calcium	94 mg
Sodium	798 mg

Pour varier

Transformez la sauce rosée en sauce Romanoff

Envie de donner une petite *twist* à cette recette de pâtes à la sauce rosée ? Rien de plus simple : ajoutez 45 ml (3 c. à soupe) de vodka à l'étape 2 afin d'obtenir une sauce à la Romanoff ! Un petit ajout qui épatera certainement toute la tablée !

FACULTATIF :

➤ **Basilic**
émincé
45 ml (3 c. à soupe)

Gratin de pâtes et aubergine parmigiana

Préparation : **15 minutes** • Cuisson : **35 minutes** • Quantité : **6 portions**

Rotinis ①
ou autres pâtes courtes
1 litre (4 tasses)

1 aubergine ②

Sauce marinara ③
625 ml (2 ½ tasses)

Mozzarella ④
râpée
500 ml (2 tasses)

Chapelure nature ⑤
125 ml (½ tasse)

Préparation

Dans une casserole d'eau bouillante salée, cuire les pâtes *al dente*. Égoutter.

Préchauffer le four à 190 °C (375 °F).

Couper l'aubergine en 18 tranches de 1 cm (½ po) d'épaisseur.

Dans une poêle, chauffer l'huile à feu moyen. Cuire les tranches d'aubergine de 1 à 2 minutes de chaque côté. Saler et poivrer.

Dans la casserole ayant servi à cuire les pâtes, mélanger les pâtes avec 410 ml (1 ⅔ tasse) de sauce marinara.

Dans un plat de cuisson, déposer six tranches d'aubergine. Couvrir avec la moitié des pâtes, la moitié de la mozzarella et six autres tranches d'aubergine. Couvrir du reste des pâtes et des tranches d'aubergine. Garnir du reste de la sauce et de la mozzarella.

Parsemer de chapelure, de parmesan râpé et, si désiré, d'origan et de persil. Cuire au four de 25 à 30 minutes.

PAR PORTION	
Calories	573
Protéines	21 g
Matières grasses	27 g
Glucides	63 g
Fibres	7 g
Fer	4 mg
Calcium	340 mg
Sodium	919 mg

Idée pour accompagner

Salade de rubans d'asperges au basilic

À l'aide d'une mandoline, couper en fins rubans 16 grosses asperges. Dans un saladier, mélanger 60 ml (¼ de tasse) d'huile d'olive avec 15 ml (1 c. à soupe) de zestes de citron, 15 ml (1 c. à soupe) de jus de citron, 30 ml (2 c. à soupe) de graines de tournesol et 30 ml (2 c. à soupe) de basilic haché. Ajouter les asperges. Saler, poivrer et remuer délicatement.

PRÉVOIR AUSSI :

- **Huile d'olive**
  80 ml (⅓ de tasse)
- **Parmesan**
  râpé
  80 ml (⅓ de tasse)

FACULTATIF :

- **Origan**
  haché
  30 ml (2 c. à soupe)
- **Persil**
  haché
  30 ml (2 c. à soupe)

Mac'n cheese crémeux au chou-fleur

Préparation : **15 minutes** • Cuisson : **12 minutes** • Quantité : **de 4 à 6 portions**

Macaronis ①
700 ml (environ 3 tasses)

½ chou-fleur ②

Bouillon de légumes ③
125 ml (½ tasse)

Mélange de fromages italiens râpés ④
750 ml (3 tasses)

Chapelure nature ⑤
80 ml (⅓ de tasse)

PRÉVOIR AUSSI :
- **Farine** 45 ml (3 c. à soupe)
- **Lait 2 %** 500 ml (2 tasses)

FACULTATIF :
- **Ail** émincé 5 ml (1 c. à thé)

Préparation

Dans une casserole d'eau bouillante salée, cuire les pâtes *al dente*. Égoutter.

Pendant ce temps, hacher le chou-fleur dans le contenant du robot culinaire.

Dans une casserole, faire fondre un peu de beurre à feu doux-moyen. Cuire le chou-fleur et, si désiré, l'ail de 4 à 5 minutes.

Ajouter la farine et remuer. Verser le bouillon de légumes et le lait. Porter à ébullition en fouettant. Saler et poivrer.

Verser la préparation dans le contenant du mélangeur. Émulsionner 1 minute, jusqu'à l'obtention d'une sauce lisse.

Remettre la sauce dans la casserole, puis ajouter les deux tiers des fromages râpés. Chauffer à feu doux-moyen en remuant jusqu'à ce que les fromages soient fondus.

Ajouter les pâtes. Rectifier l'assaisonnement au besoin et remuer.

Répartir la préparation dans quatre à six ramequins ou dans un plat de cuisson de 20 cm (8 po). Parsemer du reste des fromages râpés et de chapelure. Faire dorer au four à la position « gril » (*broil*) de 2 à 3 minutes.

PAR PORTION	
Calories	470
Protéines	25 g
Matières grasses	18 g
Glucides	54 g
Fibres	3 g
Fer	1 mg
Calcium	486 mg
Sodium	404 mg

Option santé

Le chou-fleur

Le chou-fleur est bourré de bonnes choses ! En effet, il est une excellente source de vitamine C, un antioxydant indispensable au renforcement des os, des dents et du système immunitaire. Ce légume contient aussi beaucoup de vitamine K, qui aide à la coagulation, et de lutéine, nécessaire à la protection des yeux. La vitamine A, le calcium et le fer présents dans le chou-fleur préviendraient quant à eux les risques de maladies cardiovasculaires et de la maladie d'Alzheimer.

Lasagne aux légumes, sauce légère au chou-fleur

Préparation : **15 minutes** • Cuisson : **55 minutes** • Quantité : **8 portions**

1 chou-fleur ①
haché

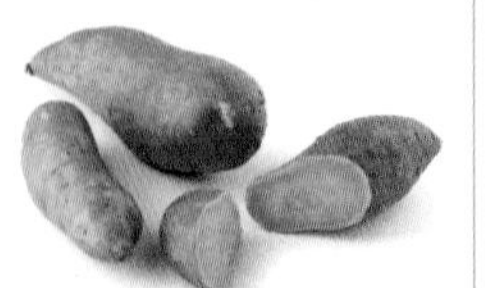

4 patates douces ②
tranchées sur la longueur

Courgettes ③
tranchées sur la longueur
2 vertes et 2 jaunes

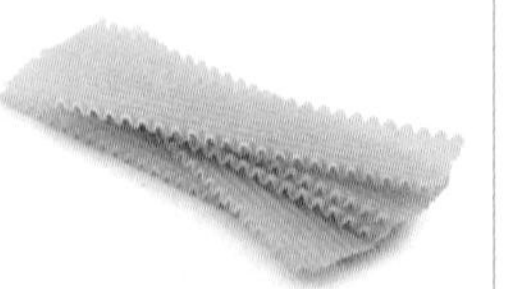

12 pâtes à lasagne ④
cuites

Mozzarella ⑤
râpée
625 ml (2 ½ tasses)

PRÉVOIR AUSSI :

- **Beurre** 60 ml (¼ de tasse)
- **Farine** 125 ml (½ tasse)
- **Lait 2 %** 1 litre (4 tasses)

FACULTATIF :

- **Muscade** 2,5 ml (½ c. à thé)
- **Bébés épinards** 1 paquet de 142 g

Préparation

Préchauffer le four à 180 °C (350 °F).

Dans une casserole, faire fondre le beurre à feu moyen. Cuire le chou-fleur de 5 à 8 minutes.

Saupoudrer de farine et remuer. Ajouter le lait et, si désiré, la muscade. Saler et poivrer. Porter à ébullition en fouettant, puis laisser mijoter de 4 à 5 minutes à feu doux.

Transférer la préparation dans le contenant du mélangeur. Émulsionner jusqu'à l'obtention d'une consistance lisse.

Pendant ce temps, chauffer un peu d'huile d'olive à feu moyen dans une poêle. Cuire les patates douces 12 minutes, en les retournant de temps en temps.

Ajouter les courgettes dans la poêle. Poursuivre la cuisson de 3 à 4 minutes. Saler et poivrer.

Verser un peu de sauce au chou-fleur au fond d'un plat de cuisson de 33 cm x 23 cm (13 po x 9 po). Couvrir de quatre pâtes à lasagne cuites. Couvrir de la moitié de la préparation aux patates douces et, si désiré, de la moitié des bébés épinards. Napper du tiers de la sauce restante, puis couvrir du tiers de la mozzarella. Répéter cette étape une fois, puis couvrir des quatre pâtes à lasagne restantes. Couvrir du reste de la sauce au chou-fleur et de la mozzarella.

Couvrir le plat d'une feuille de papier d'aluminium. Cuire au four de 20 à 25 minutes.

Retirer la feuille de papier d'aluminium et poursuivre la cuisson au four de 20 à 25 minutes.

PAR PORTION	
Calories	513
Protéines	23 g
Matières grasses	21 g
Glucides	61 g
Fibres	7 g
Fer	3 mg
Calcium	446 mg
Sodium	459 mg

Idée pour accompagner

Garniture aux tomates cerises

Dans un bol, mélanger 18 tomates cerises coupées en quatre avec 30 ml (2 c. à soupe) d'huile d'olive et 30 ml (2 c. à soupe) d'origan haché. Saler et poivrer.

Fettucines Alfredo

Préparation : **15 minutes** • Cuisson : **10 minutes** • Quantité : **4 portions**

Fettucines 1
350 g (environ ¾ de lb)

Crème à cuisson 15 % 2
375 ml (1 ½ tasse)

Bouillon de légumes 3
80 ml (⅓ de tasse)

Parmesan 4
râpé
180 ml (¾ de tasse)

Estragon 5
haché
15 ml (1 c. à soupe)

PRÉVOIR AUSSI :

- **2 échalotes sèches (françaises)** émincées
- **Ail** 1 gousse émincée

Préparation

Dans une casserole d'eau bouillante salée, cuire les pâtes *al dente*. Égoutter.

Dans la même casserole, chauffer un peu d'huile d'olive à feu moyen. Cuire les échalotes et l'ail de 2 à 3 minutes.

Ajouter la crème et le bouillon. Saler, poivrer et remuer. Porter à ébullition.

Incorporer le parmesan et l'estragon. Réchauffer 1 minute.

À l'aide du mélangeur-plongeur, émulsionner la sauce jusqu'à l'obtention d'une texture lisse.

Ajouter les pâtes dans la casserole. Réchauffer 1 minute en remuant.

PAR PORTION	
Calories	593
Protéines	18 g
Matières grasses	25 g
Glucides	75 g
Fibres	4 g
Fer	3 mg
Calcium	278 mg
Sodium	422 mg

Idée pour accompagner

Crumble de noix

Dans un bol, mélanger 60 ml (¼ de tasse) de farine avec 60 ml (¼ de tasse) de beurre coupé en petits dés, 60 ml (¼ de tasse) de noix de Grenoble hachées et 45 ml (3 c. à soupe) de chapelure panko jusqu'à l'obtention d'une texture granuleuse. Déposer le crumble sur une plaque de cuisson tapissée de papier parchemin. Cuire au four de 16 à 20 minutes à 180 °C (350 °F), en remuant de temps en temps, jusqu'à ce que le crumble soit doré. Laisser tiédir. Garnir les fettucines Alfredo de crumble.

Index des recettes

Plats principaux

Croquettes et tofu pané

Gratins

Légumes farcis

Mijotés, casseroles et poêlées

Œufs et quiches

Pâtés et Cie

Pâtes, pizzas et risotto

Salades-repas et *poke bowls*

Sandwichs, burgers et Cie

Sautés

Soupes-repas

Divers

Accompagnements

Croûtons et pains

Épices et garnitures

Légumes

Pâtes, riz et Cie

Salades

Bouillon, sauces et vinaigrettes

Une réalisation de

Éditeur de